ENKRE-MOI

ATTENTION !

Le personnage principal de cette histoire éprouve des difficultés à écrire. Ce roman comporte donc volontairement des fautes de français.

Éditrice-conseil: Nathalie Ferraris
Infographie: Johanne Lemay

DISTRIBUTEUR EXCLUSIF:

Messageries de presse Benjamin
101, rue Henry-Bessemer
Bois-des-Filion (Québec) J6Z 4S9
Téléphone: 450-621-8167

02-14

Traduction française:
© 2014, Recto-Verso, éditeur
Charron Éditeur inc.,
une société de Québecor Média

Charron Éditeur inc.
1055, boul. René-Lévesque Est, bureau 205
Montréal (Québec) H2L 4S5
Téléphone: 514-523-1182

L'ouvrage original a été publié
par Orca Book Publishers sous
le titre *Ink Me*

Dépôt légal: 2014
Bibliothèque et Archives nationales du Québec

ISBN 978-2-924259-31-3

Gouvernement du Québec – Programme
de crédit d'impôt pour l'édition de livres –
Gestion SODEC
www.sodec.gouv.qc.ca

L'Éditeur bénéficie du soutien de la Société de
développement des entreprises culturelles du
Québec pour son programme d'édition.

Nous reconnaissons l'aide financière du gouvernement du Canada par l'entremise du Fonds
du livre du Canada pour nos activités d'édition.

RICHARD SCRIMGER

ENKRE-MOI

Traduit de l'anglais (Canada)
par Pierre Thibeault

RECTO
VERSO

Une société de Québecor Média

À ma mère, qui n'a certes
pas beaucoup de temps à consacrer
aux bandes de jeunes et aux tatouages,
mais qui adore les enfants et les livres
tout autant que n'importe qui.

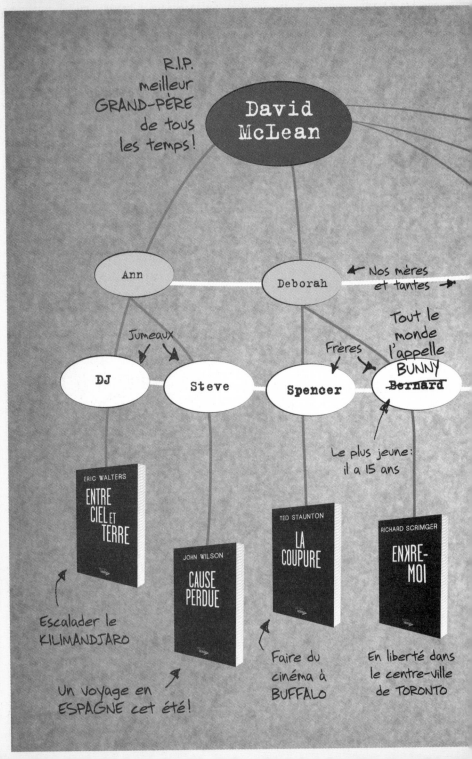

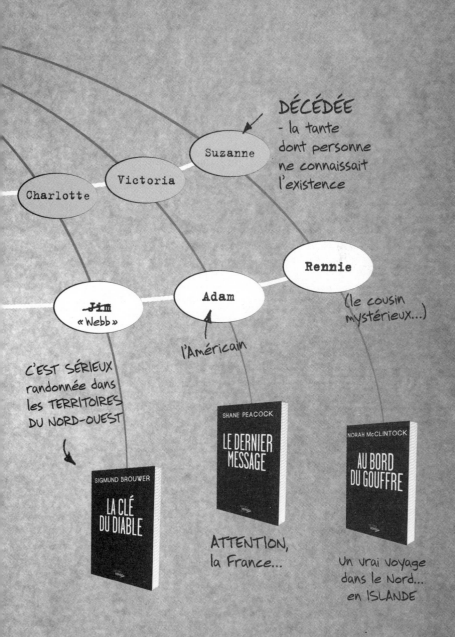

Océan Arctique

CANADA

AMÉRIQUE

DU NORD

Spencer

Toronto

Bunny

Buffalo

ÉTATS-UNIS

Webb

Océan

Pacifique

Amérique

Centre commercial
Jardins Sherway

Voie rapide Gardiner

Autoroute 427

TORONTO

Avenue Kipling

Avenue Islington

9ᵉ Rue

20ᵉ Rue

Voie Browns

Rue Birmingham

Gym de la 15ᵉ Rue

Boulevard Lake Shore Ouest

Réservoir d'Enkre

Lac Ontario

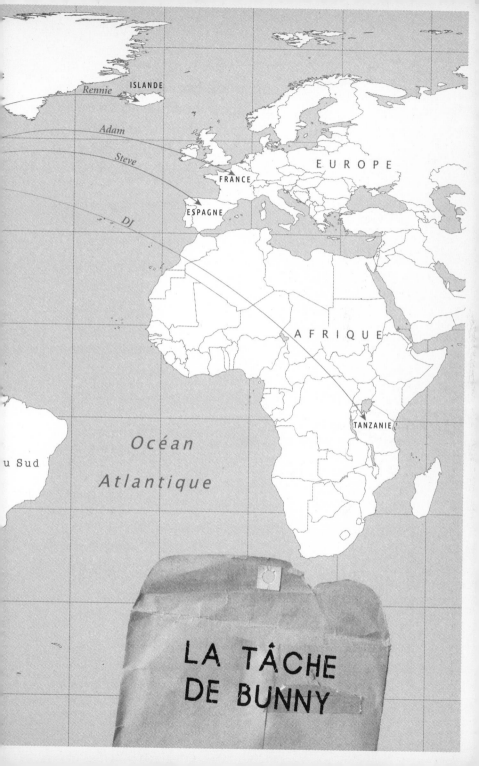

AVAN LA FIN

ELLE MA FAIT ASSOIR a la grande table et ma
demandé si je voulais boire de l'eau ou du jus ou
autre chose.

Non j'ai dis.

Quelque chose a mangé alors – un bagel ou
un mufin?

Non.

Ma voie sonait bizare comme si elle venait de
derrierre une porte. Mes oreiles étaient encore bouzil-
lées a cause des coups de feus. Elle ma demandé
d'écrire mon nom en entier. J'ai écris Bunny O'Toole
et j'ai demandé si c'était corect. Mon nom c'est Bernard mais personne ne ma jamais apelé comme ça sauf
mon grand-père. Elle a répondu Bunny c'est corect.

Je suis la Sergen Nolan mais tu peux m'apeler Nikki elle ma dit. Comme Nikki K la rappeuse – tu la conais pas vrai?

O oui j'ai dis mème si je la conaisais pas vraimant.

La feuille de papier était jaune avec des lignes. Le stylo était du genre qui fait *bop bop* quant on écrit. Maintenent ton adresse a dit Nikki alors j'ai écris: 2 Tecumsee. Je lui ais demandé si elle voulait que j'ajoute Tronto et Canada et tout. Elle a dit oui.

Et quel age as tu Bunny? Écris le aussi.

J'ai écris 15.

Tu es certain que tu ne veus pas manger quelque chose? Tu as l'air affamé.

Un mufin alors.

D'acord.

Elle ma dit d'écrire ce qui était arrivé dans mes propres mots. Je lui ais demandé ce qu'elle voulait dire par mes propres mots et elle a répondu de quoi tu te souviens?

Je comence par ou?

Au début.

Quant on est allés a Sure Way et que les Angels et les Buffalos étaient la avec leur moto et le VUS et les voitures de police?

Avan ça.

Quant on s'est rendus au centre comercial?

Avan ça.

Le diné? C'était a la maison de Snocone. Il y avait 1 bébé.

Avan ça.

Avan le diné – le déjeuné? Je l'ai pris a la maison. Du jus d'orange et des Rice Krisps. Spencer les adore et maman s'assure qu'il y en a toujour dans le garde mangé.

Nikki me dévisagait comme tout le monde. Pas méchante mais fatiguée. Comme si elle avait voulue me dire Merde Bunny réveille toi. Les gens font ça mème si ils savent que je suis stupide. Pas Spencer mais les autres. Maman et papa le font. Surtout maman. Je le vois dans son visage. Elle m'aime mais elle veut aussi me crier a près.

Désolé j'ai dis. Je sais pas ce vous voulez.

J'aurais aimé que Spencer soit la pour expliqué a ma place. Mais Spencer était partit avec mon père pour embraser 1 actrice et se perdre et rendre maman folle. J'étais au commissariat de police avec Nikki la flic et elle me lançait ce Merde Bunny en relevant ses manches bleus. J'aurais voulu apelé Jaden mais je pouvais pas parce que je suis pas son frère.

Comence par le comencement elle a dit. Quant as tu rejoint les Possy?

La table était ébréchée et ondulée. Il y avait des marques dessus comme si quelque chose avait xplosé. Des marques faites par d'autres gars.

J'ai dis a Nikki que je savais pas que j'étais 1 Possy avan que Jaden me le dise. Quant il a vut le tatou de mon grand-père.

Ton grand-père a un tatou?

Non moi j'en ai un. Mon grand-père est mort. J'ai eu 1 tatou pour lui.

J'ai touché mon bras en disant ça. Ça faisait encore un peu mal. J'aurais du mettre plus de crème. Nikki a demandé si elle pouvait voir le tatou alord j'ai remonté la manche de ma nouvèle chemise et il était la. Plutot cool.

Pourquoi tu comences pas par ça? elle a dit. Quant t'es venu l'idé d'avoir 1 tatou? Écris tout ce qui s'est passé depuis ce jour la d'acord Bunny? Je t'amène un mufin.

Tout? Ça fait beaucoud.

Je suis pouri dans l'écriture. Je me trompe de mots et j'oublie ou j'en suis et mon ortografe est minable. C'est ce que dit madame Wing. Elle m'aide a l'école. Elle est cool. Tout le monde le dit.

Et si je le fais pas? j'ai demandé.

Tu iras en prison a dit Nikki la flic.

Est ce qu'elle riguolait? Elle n'avait pas l'air de riguoler. Et j'étais dans un comissariat de police. Et des choses mauvaises s'étaient produites. Des coups de feus et tout. Et je ne voulais pas aller en prison.

Vous êtes méchante j'ai dis. Vous êtes 1 méchante femme vous savez ça?

Oui. Tu veus 1 coke avec ton mufin?

J'ai poussé 1 gran soupir. Ouffffff.

J'ai jamais entendu parler de Nikki K j'ai dis.

Elle est partie et je me suis penché et j'ai comencé a écrire.

QUANT TOUT A COMENCÉ

ON ÉTAIENT DANS LE TRAMWAY. C'était il y a long temps comme la semaine dernierre ou celle d'avan. Moi et Spencer et maman et papa on remontaient la rue Queen et on traversaient les feus rouges et on croisaient les voitures qui tournaient et on passaient devant la place de boufe pour emporté et la place CHAU CHAU CHAU et la place ou Spencer loue ses films. Après on a croisée le coin des clochars et le coin de la banque et le coin des magasins a schmuck – c'est comme ça que papa les apele. Il ma déja xpliqué pourquoi mais j'ai oublié. On est passés devant la farmacie et le magasin de cochoneries et le restorant et l'autre restorant et l'autre encore.

Spencer était assis a coté de moi et écoutait *Kill Bill* sur son téléphone. Maman et papa étaient assis sur le siège devant nous. Le tramway était plein. Des gens et des odeures et du bruis et encore des gens.

Maman était silencieuse et papa lui caresait la main. Elle portait de baux vètemens. Moi et Spencer aussi – des chemises avec des boutons. Papa avait l'air bizarre sans son habituel bandana.

J'ai vu 1 fille avec les sains a l'air sur le trottoir et j'ai pincé Spencer. Quant on la dépassé je me suis rendu conte que c'était un gars. Un gros gars gélatineux. Ouache.

Quoi? ma demandé Spencer en enlevant son truc sur ses oreiles.

Rien.

Il est retourné a *Kill Bill.*

Quelque chose de juif. C'est ça que veut dire schmuck.

Au centre ville les imeubles étaient plus grands et tout le monde avaient 1 téléphone dans les mains. On a tournés au tour de la porte – je veus dire la porte a tournée et on étaient dedans. Après on étaient dans une grande pièce en roche avec 1 plafond qui montait et montait. Trop cool. J'ai dis WOW! et j'ai entendu ma voix faire *wow ow ow ow* de moin en moin fort.

Hé j'ai dis.

Hé é é.

Je l'ai fais encore. *Hé é é.* Un vieux mosieur ma regardé bizarement.

Maman a dit Chut!

Chut hut hut.

Ça ma fait rirre.

Dans l'ascenseur maman a regardé les botes de cowboy de papa en fesant non de la tète. Lui chantait une vieille chanson – il fait ça souvant. Mon coup me faisait mal a cause de ma chemise. Spencer regardait toujour son film. L'ascenseur montait.

Je pensais a mon grand-père. Il était vraimant vieu. Comme un sapin – aussi vieu que ça. Il vivait dans 1 maison près d'un lac. C'est la qu'on le voyaient. Il vivait dans d'autres endroits aussi mais je ne l'ai jamais vu ailleurs. Il a toujour été vieu. Ses cheveus étaient blanc et ses mains avaient de droles de veines bleu. Il m'apelait Bernard. J'arètais pas de lui dire que c'était Bunny mais il voulait rien comprendre. Coment ça va a l'école Bernard? il disait. Tu fais du sport Bernard?

T'es un grand garson Bernard – le sport c'est bon pour toi.

Il disait souvant ça a propos du sport.

Je répétais que mon nom était Bunny.

Tu devrais faire partis d'une équipe. Tu aprends beaucoud dans une équipe. Tu es rapide Bernard.

Non je ne le suis pas je répondais.

Je veus dire tu es vite – tes mains bougent vite. Dans quoi es tu bon?

Je suis bon a trouver des choses. Maman dit que je suis le meileur. Elle me demande toujour de l'aider a trouver ses clés.

Je parle de choses comme le basebale.

Je me rapele lui avoir dit une foie que j'étais désolé. Il m'avait demandé pourquoi et je lui avais dis parce que j'étais pas inteligent. Il m'avait répondu de ne pas m'xcuser. Il était sérieus. C'était importent pour lui. Il y avait juste nous 2 sur le quai parce que les autres jouaient a la tag ou a quelque chose d'autre. Il a posé sa main sur mon épaule et ma regardé dans les yeus.

Ne t'excuse jamais de qui tu es il ma dit. Jamai jamai jamai. Tu me comprends bien Bernard?

Je suis pas désolé pour moi j'ai dis. Je suis désolé pour toi.

Il a reculé d'un pas et a ouvert la bouche puis la fermer tout de suite. Puis DJ a couru derrierre moi et ma poussé. Il pousse toujour tout le monde. J'ai atrapé sa main et on a tournés ensembles comme grand-père nous l'avait ensaigné dans la grange. On s'est pousés et tirés pendans quelques minutes puis grand-père nous a pousé tous les 2 dans le lac – c'était vraimant drole.

Il ne se resemblait pas dans le cercueil. Je le conaisais à paine. J'ai demandé a Spencer si c'était vraimant grand-père ou une poupée ou quelque chose du genre. Spencer ma dit que c'était lui pour sur – il avait seulement l'air bizarre parce qu'il avait été gonflé avec quelque chose.

Juste avan que l'asenseur arive a notre étage et fasse *ding* j'ai sauté en l'air comme pour faire descendre mon déjeuner – c'est toujour amusant. Maman ma lancé le regard Merde Bunny. La porte s'est ouverte et on est allés au bureau du noterre. La pièce était remplie d'oncles et de tantes et de cousins – des gens que je vois presque jamai sauf a la maison de campagne. C'était comme une fête surprise avec persone a surprendre. Ils se tenaient tous droit comme si ils avaient été fait en quarton. Maman s'est avancée et a prit tante Vicky dans ses bras. Papa a envoyé

1 signe de paix a tout le monde avec Spencer a coté de lui. Tout le monde a salués Jer. C'est comme ça qu'ils apelent papa – Jer. Un diminutif de Jerry. J'ai demandé a papa si il voulait que je l'apele Jer moi aussi et il ma répondu qu'on étaient dans un pays libre et que j'étais 1 ame libre et que je pouvais faire ce que je voulais. Maman ma dit que je ferais mieux de ne pas l'apeler Deb. C'est un pays libre mais je suis ta mère elle a dit.

On s'est tous assis et le noterre s'est mit a parler de grand-père et c'était plutot enuyant – ensuite il a parlé d'une partie mistérieuse du testamant de grand-père qui avait a voir avec nous ses petits-fils. Il a dit que certins d'entre nous devaient quiter la pièce et Steve et DJ se sont mis a crier – ce sont 2 frères et ils se tapent beaucoud sur les ners. Tout s'est réglé et ce sont les parens qui ont du sortir. J'étais un peu inquiet mais Spencer était a coté de moi et il ma dit que tout se paserait bien.

Ma chaise était confortable et quant je la bougais ça faisait un bruit de pet. Ça me faisait rirre et me sentir mieux.

Le noterre était assis derrierre son grand bureau et il s'est penché vers nous. Il nous a apelé messieux – c'est drole parce qu'on ne l'est pas. On a parlés du testamant bizare que grand-père avait écrit et du surprenant bonhomme qu'il était. Je me suis rapelé de la foie ou il s'était caché dans le congélateur et nous avait foutu la trouile a tous 1 après l'autre. Ça avait été toute une surprise.

Après la plus étrange des choses est arivée. Le noterre a alumé la télé et c'était grand-père a l'écran. Il était assit sur 1 chaise et il nous regardaient et il nous a dit bone après midi les garsons. J'ai du dire quelque chose parce que certins se sont tournés vers moi et m'ont fixés droit dans les yeus. Spencer ma dit que tout allait bien.

Grand-père dans la télé a fait un long discour pour nous dire qu'on étaient tous génial et a quel point on contaient pour lui. C'était cool d'entendre toutes ces choses sur nous mais bizares aussi. Grand-père disait ces choses mais il était mort. En plus il ne savait pas conter. Il a dit qu'on étaient 7 alord qu'on est 6. J'ai vérifié – 6. Pour ètre certin j'ai conté encore et je me suis conté aussi. Toujour 6. Je conaisais ces gars. Toute ma vie je les ai conus. J'ai demandé a Spencer ce qui se pasait et il ma dit d'atendre et de voir.

Grand-père parlait d'envelopes. Des envelopes pour chacun de nous et des choses qu'il voulait qu'on fassent dans les envelopes. Je comprenais rien de ce qu'il disait – qu'est ce que je pouvais bien faire pour un homme mort ? Non mais franchemant. Je fixais la télé mais je n'arivais pas a comprendre ce que grand-père disait. Il a levé son vert. Son petit chapau était penché sur ça tète et ses cheveus fins dépasaient. Après l'écran est devenu noir et c'était fini. Grand-père était partit. J'imagine que ça nous arive a tous non? Vous regardez votre émission de télé et soudin quelqu'un éteint l'apareil.

J'ai conté encore pour ètre sur. 6 cousins.

La pièce bourdonait – tout le monde parlaient et agitaient les bras. J'avais entendus des mots mais ils ne faisaient pas de sense. Des taches qu'on devaient acomplir. Des taches pour grand-père. Je ne comprenais rien. Taches. Spencer parlait a Webb alord je ne pouvais pas lui demander. Quelqu'un a dit qu'il trouvait tout ça très xcitant. Ouai je sais – xcitant hein! j'ai dis. C'est pas ce que je pensais. Ensuite le noterre nous a doné nos envelopes – grandes et brunes avec nos noms dessu. Et nos mères et nos pères sont revenus dans la pièce et il y a eu encore plus de mots et de gesticulasions. Maman pleurait tout comme ma tante Vicky et mon oncle John. J'avais soif mais je ne voyais pas d'abrevoir nul part alord j'ai avalé ma salive et j'ai atendu que quelqu'un me dise quoi faire.

Mon envelope disait *BERNARD*.

Notre cuisine est jaune. J'aime m'assoir a la table et regarder le soleil faire des ronts et des formes sur le planché. Maman reniflait près de l'évier. Papa roulait de la pate a tarte – c'est ce qu'il fait quant il est en xieu. Ça l'aide a réfléchir. Moi et Spencer on étaient a la table avec nos envelopes devans nous.

Je comprenais maintenent ce qui se passait – Spencer m'avait expliqué sur le chemin du retour. Grand-père avait fait beaucoud de choses dans sa vie mais il y avait des choses qu'il n'avait pas pu faire parce qu'il travailait et tout. Maintenent qu'il était mort c'était a nous de les faire a Sa place. C'est ce que ça veut dire 1 tache – quelque chose qu'il faut faire. Moi et Spencer et Webb et Adam et tous les autres petits-fils devaient faire les taches que grand-père n'avait pas eu le temps de faire. Les envelopes contenait les traveaux a faire – 1 pour chacun de nous. J'avais voulu ouvrir la miene dans le tramway mais maman ma dit d'atendre. J'ai demandé a quoi ça sert de faire un travail pour quelqu'un qui est mort. Persone a répondu. A la maison Spencer et moi on étaient assis a la table avec nos envelopes devans nous. J'ai pris 1 vert de lait. Maman pleurait et papa a mit la pate dans le moule et le four a soné pour dire qu'il était chau. Spencer et moi on a commencés a ouvrir nos envelopes.

VOUS NE CROIREZ PAS

CE QUE GRAND-PÈRE voulait que je fasse. Qu'elle était ma tache. Près? Voila. Il voulait que je me fasse tatouer. C'est pas singlé ça? C'est pas bizare? Un tatou. Quant j'ai lus la lettre j'ai dis pas question et j'ai éclaté de rirre. Évidamant Spencer avait fini de lire sa lettre et répétait Eh merde Eh merde Eh merde.

Grand-père avait tout planifié pour moi. Il y avait 1 salon de tatou sur Lake Shore qui était tenu par un ami a lui et je devais y aller et le gars allait me faire 1 tatou. Grand-père l'expliquait dans sa lettre. Il était sensé se faire faire un tatou en 1945 avec son équipage – grand-père pilotait des avions – mais il était malade ce jour la et les autres ont eu leurs tatous mais pas lui. Après la guère a finie et il est revenu a la maison et il a fait d'autres choses alord je devais me faire faire le tatou a sa place.

«Je sais que tu es ford et courageus Bernard»

Il a écrit dans la lettre :

«alord tu pouras suporter la douleur de l'éguille. Le tatou te rapelera des choses importantes. Tu n'es plus un enfant. Tu vielis. Tu grandis et je parie que tu te sens seul par foie. Chaque foie que tu regarderas ton bras tu sauras que tu fais partis de quelque chose de grand. Moi et mon équipage on ne s'est jamais laissés tombés et on ne te laissera pas tombé non plus. Ensembles nous volons. C'était notre devise. Fais en la tienne aussi Bernard. Fais toi confiance et fais confiance a ton équipe. Ne fais pas ça pour moi fais le pour toi.»

Il a écrit quelque chose comme ça. Je me rapele plus des mots xactes. Il y avait autre chose a propos d'être la pour les autres et tout. J'ai montré ma lettre a maman. Elle était fachée mais pas moi. Même si grand-père m'avait apelé Bernard. J'étais abitué.

Un tatou – pas si mal. Plein d'enfans en ont a l'école. Ed est assis a coté de moi dans ma classe et il a 2 flèches sur le bras. Elles sont cools.

Le pauvre Spencer avait la mine base. Devinez quoi? Il devait se faire embraser par une viele femme. C'était sa tache – trouver une viele actrice et se faire embraser par elle. Spencer aime les films alord j'imagine que c'est pour ça que grand-père lui a demandé de faire ça. J'ai ris et ris. Contant de pas ètre toi je lui ais dis. J'aime mieux me faire faire un tatou plutot que d'embraser un vieu sac. Il ma dit de me taire.

Le téléphone a soné. Maman a dit *Vicky!* et s'est mise a parler 1 000 mots a la minute. Je l'ai entendue dire *l'Afrique!* de la mème manierre qu'on dit *Tu te moque de moi!* Je me foutais de l'Afrique. Je suis allé dans le séjour et je me suis instalé dans la chaise bleu et je me suis posé des questions. Je voyais vraimant pas qu'est ce que ça pouvait bien faire a grand-père que je me fasse faire son tatou. Ou que Spencer embrase une dame. Grand-père était mort. Dans sa lettre il disait de le faire pour moi mais je ne comprenais pas. Qu'est ce qu'un tatou allait m'aporter? Je me demandais si la lettre de Spencer disait la mème chose et je me demandais ce qui ça allait lui aporter d'embraser 1 viele femme? J'ai alumé la télé et je suis tombé sur des dessins animés. Super!

Maman est venue dans ma chambre pour me souaiter bonne nuit. Il fesait noir mais je pouvais voir son visage grace a la lumière dans le coulloir. Ses yeus étaient tristes et ça bouche tombait vers le bas de chaque coté. Elle ma demandé coment j'allais et j'ai dis bien.

Tu veus toujour avoir le tatou elle ma demandé.

Ouai.

Tu n'es pas obligé tu sais. Ce n'est pas parce que grand-père te demande de faire quelque chose que tu dois le faire. C'était mon père mais je n'ai pas toujour fais ce qu'il me demandait. Si il m'avait demandé de me faire tatoué j'aurais dit non. Les tatous sont laid Bunny. Laid et stupide.

Elle a cessé de parler et le mot est resté suspendu dans les airs pendans un instant. Comme un pet. *Stupide.* Je savais que maman regrètais d'avoir utiliser ce mot. Je suis stupide.

Je me suis demandé si grand-père trouvait ça stupide les tatous. C'était peut ètre pour ça qu'il voulait que je m'en fasse faire un. Je ni croyais pas. Ma tache n'avait rien a voir avec le mot *stupide.* C'était autre chose.

Je veus y aller demain j'ai dis.

Elle s'est relevée.

Atend quelques jours elle a dit. Atend pour voir si tu en auras encore envie. Bonne nuit maintenent. Et elle ma laisé tout seul dans le noir.

12 rue.

13 rue

14 rue.

C'était quelques jours plus tard – vendredi après midi. Je n'avais pas changé d'idée. J'étais assis dans le tramway qui roulait sur Lake Shore. J'étais en route vers tatou Kilroy. Les rues que je croisais étaient des chifres ce qui rendait les choses faciles pour moi. Tatou Kilroy était au coin de Lake Shore et de 20 rue. Tout ce que j'avais a faire était de conter.

17 rue.

18 rue.

Maman était a l'école. C'est son travail. Elle est prof. Prof O'Toole. Spencer ma déja expliqué prof de quoi mais je n'ai pas bien compris. Quelque chose a propos de coment on saient des choses – coment on saient ce qu'on saient. Je n'avais pas compris le mot que Spencer avait prononcé.

Tu veus dire comme passer la soi dentaire? j'avais dit et il avait rit.

C'est 1 bonne blague Bun. Ouai maman ensaigne coment passer la soi dentaire.

Alord elle était a l'école en train d'ètre prof et Spencer et mon père étaient en route vers Buffalo pour trouver la viele femme et j'étais dans le tramway en train de conter jusqu'a 20. J'étais tout seul. Maman m'avait demandé si je voulais qu'elle vienne avec moi mais j'avais dis non. Je n'avais pas envie de l'entendre traité de stupide tous ceus qui avaient 1 tatou. En plus c'était ma tache et grand-père voulait que je la fasse seul. Si DJ pouvait se rendre seul en Afrique je pouvais bien trouver 1 salon de tatou par moi mème.

Sauf que je n'ai pas pu. Je suis descendu du tramway au coin de 20 rue et j'ai regardé par tout au tour de moi et j'ai pas vu de Kilroy. J'ai apercu un magasin et un restorant avec un paneau lumineus qui clignotait *BUD BUD BUD* et un magasin tout pour 1 dolar et un endroit avec des fauteuils roulans dans la vitrine et une bagare mais pas de Kilroy.

C'était pas une vraie bagare. Un genre de brutte obèse poussait 1 petit. Le gros garson avait des dents et des cheveus brilants et il poussait tellement fort le maigre qu'il est tombé et quant il s'est relevé le gros la poussé encore. Pousse et pousse. Et il disait un mot.

Je n'aimais pas ça. Un gros contre un maigre ce n'est pas juste. Je n'aimais pas le mot non plus.

Il comencait a faire noir et il y avait du vent. Je frisonais dans mes manches courtes. Le maigre est encore tombé. Le gros a répété le mot. Je suis allé le voir pour lui demander d'arèter. Il est plus petit que toi j'ai dis.

Le gros s'est retourné. T'es qui toi? il ma demandé.

Bunny j'ai dis.

L'autre garson s'est relevé et a dépousiéré son pantalon. Il était minuscule avec de longues et maigres jambes et des yeus de mouche. Il ne s'est pas sauvé en courant. Il n'avait pas peur.

Le gros a esayé de me pousser. J'ai atrapé sa main avec la miene et je l'ai tenu et quant il a esayé de la retirer je l'ai pas laissé faire.

Non je lui ais dis.

Sa jambe est partie vers l'arrierre et il a essayé de me donner un coup de pied. J'ai vu son pied ariver et je n'ai pas pensé a ce que je devais faire. J'ai atrapé son pied et je l'ai levé dans les airs comme je le fais quant Spencer et moi on se bats. J'avais toujour la main du gros dans la miene alord je l'ai levé et je l'ai fais tourner en rond en tenant sa main et son pied. Il ne riait pas comme Spencer – il esayait de me donner des coups de pied avec son autre jambe. Je l'ai balancé au loin. Il a volé dans les airs et il est retombé sur 1 poubèle de métal et il est resté la.

L'autre garson a dit merde.

Il y avait un salon de tatou de l'autre coté de la rue. Pas Kilroy mais 1 autre. Je me suis demandé si il conaissait Kilroy alord j'ai traversé et devinez quoi? J'étais au bon endroit. Kilroy avait prit sa retraite et l'endroit s'apelait maintenent Réservoir d'Enkre. C'est ce que le gars au contoir ma dit. Cool j'ai répondu. Je lui ais dit qui j'étais et il ma dit bien sûr bien sûr. Il avait mon nom et tout.

Au font du coulloir et a gauche il ma dit.

ELLE AVAIT L'ÉGUILLE

DANS SA MAIN comme un stylo et visait mon bras. Près ? elle ma dit et c'était partit. Pointu et vite comme l'éclaire. Je pouvais la sentir remonté de mon bras a mon cerveau.

O j'ai dis.

Ça fait mal ?

Je me rapelais les mots de mon grand-père. *Je sais que tu pouras suporter la douleur de l'éguille.*

Ça va j'ai dis.

Son nom était Roxy. Elle était chauve et petite comme un nain. Elle portait une camisole et un short pour montrer ses tatoux. Elle avait de l'écriture partout sur ses épaules et ses bras et ses jambes et son coup. Elle avait même de l'écriture sur son crane rasé. Je ne voulais pas avoir l'air de l'observer alord je n'ai pas lus les écritures. Ça avait l'air cool mais dégueu aussi.

Quant j'étais entré dans la pièce elle ramasait des papiers par terre. Elle les a lancé sur la table et a bayé. Elle tenait la feuile du aut de la pile. C'était marqué 15 dessu.

C'est pour toi ça hein?

Hein?

Ton enkre. Ton tatou. Ce que tu veus sur ton bras.

J'en sais rien j'ai dis.

Le 15 pas vrai?

Ouai.

C'est ce que grand-père disait dans sa lettre. *Tu deviens plus vieux maintenent Bernard.*

Mon aniversaire c'était le moi dernier j'ai répondu.

OK on s'en fout. Le 15 a dit Roxy. Elle a placé la feuile sur mon bras et la mouiler et la retirer et il y avait le dessin sur mon bras. C'était un 15 rayé avec une chandèle comme sur un gateau.

Je vais le dessiner plus bas pour que tu puisses le voir. Comme ça. Tu vois?

151

Cool! j'ai dis.

T'aimes ça? Tu veus que je mette de l'enkre?

Ouai enkre moi j'ai dis.

Roxy a encore bayé. Quelle journée elle a dit. 3 tatoux ce matin et d'autres après le tien et je suis déja morte de fatigue. J'ai pas dormi la nuit dernierre.

Elle a prit son éguille.

Bouges pas elle a dit.

J'ai pas pensé a la douleur. Je suis resté assis dans la chaise en pensant au travail de Roxy. Elle a suivi les marques sur ma peau en s'arètant pour essuyer le sang qui coulait. Quant elle bayait je pouvais voir le fond de sa gorge. Ouache. Je pensais aussi a ce que les enfans diraient de mon tatou a l'école. Quant j'avais vu les flèches de Ed j'avais dis WOW. J'avais pas vraimant de meileur ami ou quelque chose du genre mais peut ètre que quelqu'un dirait WOW en voyant mon tatou. Spencer dirait quelque chose. Cool mon Bunny ou quelque chose comme ça. Spencer est cool.

Bouge pas elle a répété.

Je contè les trous. Il en avait 17 sur le mur de droite. Et 9 sur celui de gauche. Des trous fais au marteau. Je les ai contés a nouvau. 9 et 17.

Roxy a reculée dans sa chaise et a encore bayé.

C'est fait elle ma dit. Qu'est ce que t'en pense?

Elle tenait un miroir et j'ai vu le tatou. A cause du miroir ça fesait 21. J'ai bougé mon bras et la flame de la chandèle a tremblé.

WOW j'ai dis.

Il y avait un peu de sang. Roxy l'a essuyé et ma mit 1 gros pansemant. Elle a prit du papier colant pour le faire tenir.

Merci j'ai dis et elle a sourit. Elle avait 1 tatou sur les lèvres et quant elle sourriait je pouvais le voir. AMOUR. Quant elle arètait de sourirre les lettres disparaisaient.

J'avais mal. Pas pour m'enfuir mais c'était la. La douleur. Roxy ma dit d'acheter de la crème parce que si non quelque chose de mauvais allait ariver a mon tatou. Elle ma mème doné le nom du produit. Mais en 2 foies par jour pendans 1 semaine elle a dit. J'ai répondu OK.

Un gars dans le coulloir était en train d'oter sa chemise. Je n'ai pas vu son visage mais il avait 1 couteau tatoué sur l'épaule droite.

2 hommes étaient assis dans la salle d'atente et parlaient de moi. Je le savais parce qu'ils se sont arètés quant ils m'ont vus. Des hommes plus vieu genre 30 ou 50 ans. Un portait 1 veste et des cheveus longs.

C'est toi? il ma dit.

Quoi moi? j'ai répondu.

T'as blessé l'Angel de l'autre coté de la rue. C'était pas toi? L'Angel qui harcelait Jaden?

Hein?

Ouai c'est toi. J'ai tout vu. Mais t'es pas un 15 dis moi? T'es un 15?

Il froncait les sourcis.

Ouai 15.

Hein? T'as pas l'air de ça.

On me dit toujour la mème chose. Je suis grand mais je n'ai pas l'air agé.

C'est cool il a dit. Continue de faire mal aux Angels. Pour qui se prennent ils de toute fasson?

Ouai ouai j'ai dis. Je jouais avec mon pansemant – je le soulevais un peu pour voir mon tatou. Puis je le remetais en place. J'ai levé les yeus et il fixait mon bras. Mon tatou. L'autre gars regardait aussi. Il avait des lunetes épaisses.

Le mome est un frère? il a demandé.

Ta gueule TJ a dit l'autre.

Il a pas l'air c'est tout.

Ta gueule TJ. Il est avec les Possy. Tu vois pas le tatou?

Je n'avais aucune idée de quoi ils parlaient.

Il fesait gris dehors mais j'avais envie de marcher. J'ai conté les intersexions a l'en vers. 20. 19. 18. J'ai soulevé mon pansemant et il était la. Mon tatou. Je pouvais sentir mon cœur battre dedans. *Boum boum boum.* Bras bras bras.

Je voulais que Spencer voit mon tatou. J'ai retiré le pansemant et j'ai sortis mon téléphone et j'ai passé mon bras par dessus l'autre et j'ai pris une photo. Pas mal. On pouvait voir le 15 et la chandèle. J'ai envoyé la photo à mon frère.

Je me suis dis *Je l'ai fais.* Tous mes cousins avaient une tache et moi j'avais fini avan tout le monde. J'ai regardé mon tatou a nouvau. Est ce que grand-père était avec moi? Non. Ce tatou était a moi pas a lui. Il n'avait pas 15 ans moi oui.

Bras bras bras.

Je suis arivé devant une farmacie et ça ma rapelé que je devais acheter la crème pour masser mon tatou. Une femme ma montré la boite. Elle voulait voir mon tatou et quant je lui ais montré elle a arèté de sourirre.

Il y a un problème? j'ai demandé.

Elle a rien dit. Elle a juste reculé et a couvert sa bouche.

Bizare.

La pluie tombait quant je suis sortis. Elle tombait comme 1 déluge. Les gens se tenaient dans les portiques en regardant la pluie tombée et en atendant qu'elle se calme.

J'ai vérifié mon téléphone. Pas de message de Spencer. Je lui ais envoyé 1 texto – **L'as tu vu? Dis moi.** Falait que je regarde a nouvau. J'ai encore retiré le pansemant.

Pas mal.

Un enfan me regardait.

Hé! il ma dit. Je le conaisais et lui aussi me conaisait. C'était le petit maigre d'en fasse du salon de tatou. Celui qui se fesait pousser.

Il a fixé mon tatou et ensuite moi.

Maintenent je sais il a dit.

Quoi? j'ai répondu.

Pourquoi t'as fais mal a cet Angel. T'es un 15 hein?

Tout le monde voulaient savoir mon age. Mais ils disaient pas tu as 15 ans ils disaient t'es un 15. Bizare. Ouai j'ai dis. J'ai remis le pansemant a sa place. Il ne colait plus très bien.

Il ma montré son point avan d'ouvrir sa main. Comme 1 bombe qui xplose.

Quoi ? j'ai dis.

Il a recomencé. Point – main ouverte.

J'ai dis oui de la tète et j'ai fais la mème chose.

Il a dit oui de la tète aussi.

T'as quel age ? je lui ais demandé.

14 il a dit. Mais je suis avec les Possy depuis toujour. Cobra c'est mon frère alord ils m'ont laissés entrer tout jeune. Je conais les signes. Regarde ici.

Il a baissé une de ses chaussetes pour me montrer son tatou. Devinez ce que c'était.

Hé c'est comme le mien j'ai dis. Sauf pour la chandèle.

T'as pas l'air d'un 15 il ma dit. Et puis je t'ai jamai vu avan. Mais tu as le tatou et tu conais les signes.

Je t'ai jamai vus non plus.

Alors t'étais ou ces derniers temps ?

J'habite loin d'ici.

Loin? Ah ouai – loin. Je comprends il a dit. Moi je ne comprenais rien. Je conais beaucoud de gars qui ont du aller loin. Combien de temps as tu été loin?

Combien de temps?

Tu parles de prison c'est ça? C'est sur que c'est ça. C'est pour ça que je te conais pas. T'étais loin. Pendans combien de temps?

Je savais pas ce qu'il disait alord j'ai sourri et il ma sourrit aussi. Il s'est aproché jusqu'a mon menton. Mème plus près. Ses cheveus était épais et frissés. Je m'apele Jaden il a dit. Coment on t'apelent?

J'ai répondu.

Ah ouai c'est ce que t'as dit a l'Angel. C'est drole. C'est cool. Bunny.

Il a sorti sa main et je pensais qu'on allaient se serer la main mais il s'est penché vers moi et ma atrapé près du coude. J'ai fais la mème chose. Ma main s'est enroulée au tour de son bras comme si je tenais 1 baton de hockey.

T'es diférent il ma dit.

Je sais.

Ça te dérange pas d'ètre…

Stupide? On s'abituent.

Je veus dire d'ètre blanc.

On s'abituent a ça aussi j'ai dis.

On se tenaient encore les bras. Il était noir
– pas noir noir mais un peu noir. Vous savez ce
que je veus dire.

Est ce que Scratch t'écoeure avec la couleur
de ta peau? il ma demandé. Ou Jello? J'imagine
qu'ils te foutent la paix a cause de la chandèle.

Il a pointé son doit vers ma chandèle.

Je sais ce qu'elle veut dire il a dit. Je te respecte Bunny. T'as fais ce qu'il falait pour le 15.
Comme t'as fais avec cet Angel aujourdui. Tu l'as
balancé comme 1 sac de merde. C'était débile.
Super. Vraimant super tu le sais?

Il a laché mon bras.

Je te respecte aussi je lui ais dis.

Je ne savais pas de quoi il parlait avec sa
prison et sa chandèle. Je ne savais pas non plus
que Jello et Scrach étaient des noms de gars. Mais
je savais que le sourirre de Jaden était vrai et qu'il
était pour moi.

Je m'en vais au jym sur la rue 15 il a dit. Tu
veus venir et trainer la bas avec moi?

Avec toi?

Ouai. Je fais partis des Possy il a dit. Ai pas
honte de moi. Cobra me fait confiance. Je sais des
choses.

J'ai pas honte j'ai dis. Je t'aime bien.

Le truc c'est que j'étais pas abitué a trainer avec persone. J'étais abitué a ètre tout seul.

Ce serait cool de trainer au jym j'ai dis. Mais je peus pas en ce momant. Faut que je retourne voir maman.

Il a opiné plusieurs foies.

Maman. Ouai. Tu parles de ton agen de mise en liberté hein ? J'avais oublié que tu venais de sortir de prison. Mon frère apele son AML maman aussi.

Je vais peut ètre venir au jym plus tard j'ai dis.

Son visage s'est éclairé – vraimant.

Je t'atendrai il ma dit. C'est Morgan qui s'occupe de la place. Tu le conais hein ?

Hein j'ai répondu.

En tout cas c'est sur la rue 15 a coté du Roi de la pizza.

Ok j'ai dis.

Un tramway ralentisait devant la farmacie. De l'eau jaissait des voies. Les portes se sont ouvertes et les gens rentraient et sortaient en vitesse.

Bon – salut j'ai dis. Salut Jaden.

Salut Bunny.

J'ai couru sous la pluie.

AU SOUPER

C'ÉTAIT JUSTE MOI et maman. Je lui ais montré mon tatou quant je suis arivé a la maison et elle a dit O mon dieu et s'est retournés. J'ai remis le pansemant. Elle n'arètait pas de regarder mon bras et aileurs. Je savais qu'elle détestait mon tatou alord j'ai mis des manches longues pour le souper. Le sang était partit mais la soufrance était toujour la mème mème avec de la crème. Bras bras.

On a mangé devant la télé puisque on étaient tous les 2. C'était le ragout de papa de la veile. J'ai mangé 4 carotes et 2 morceaux de poulet et 4 patates. Maman déteste les dessins animés et le sport alord on a regardés 1 vieux mosieur parlé a 1 autre mosieur a l'autre bout de la table. J'ai mangé mes patates et mes carotes en premier en contant mes masticasions. 20 et j'ai avalé. Je fais ça dès foies. 20 de plus et j'ai avalé encore.

J'ai parlé de Jaden a maman. On est ami mème si on est diférents j'ai dis. Elle a répondu que c'était super. Tout le monde est diférent elle a dit. Chut maintenent.

Les mosieurs a la télé se disputaient pour quelque chose. T'as pas raison disait le premier. Non c'est toi qui a tort répondait le deusième. Les 2 avaient des cheveus gris et des chemises et des cravates et des lunetes. Ils étaient pareils. Ils hochaient de la tète en mème temps.

Dernière bouchée. 17 18 19 20. Avale. J'avais fini. J'ai demandé a maman si je pouvais sortir. Elle n'a pas répondu. J'ai demandé encore. C'est vendredi et j'ai pas de devoirs j'ai dis.

Maman s'est tournée vers moi. Tu veus sortir? Ou?

Chez mon ami Jym. Il me l'a demandé. Je sais ou c'est. J'ai juste a prendre 1 tramway. Si il te plais maman.

Tu as ton téléphone? Tu conais le règlement – a la maison pour 9 heures.

Ouai.

D'acord dans ce cas.

Elle s'est tournés vers la télé.

Cool! Merci maman.

Maman a dit chut.

J'étais déja dehors.

Le tramway s'est arèté pile a la rue 15. Je suis passé devant des endroits qui réparent des voitures et d'autres qui vendent des bonbons et d'autres que je ne savais pas ce qu'ils fesaient et d'autres qui ne fesaient rien parce qu'il y avait des quartons dans les fenètres. J'ai vu des gars fumer et des mamans pousser leurs bébés. Tout sentait bon après la pluie. Même la fumé. Les gens me fixaient comme si leurs yeus allaient sortir de leurs visages.

Le jym était facile a trouver – c'était un gros imeuble en bric et sans fenètre. Pas de porte non plus. Je le regardais en me demandant coment y entrer quant j'ai soudènement entendu mon nom. Jaden est sorti de la pizzéria d'a coté avec 2 pointes dans les mains.

Je t'atendais il ma dit ce qui ma fait me sentir bien. Il a mit son bras au tour de mon épaule. Le mur a coté de la porte afichait mon tatou. 15 avec des rayures. Bizare hein? 1 mur avec mon tatou.

Dans quoi grand-père m'avait il embarquer?

On est entrés dans 1 coulloir iluminé par une seule ampoule. Le lieu n'avait rien de charment comme l'odeur après la pluie.

Ça sentait plutot mauvais en fait. Au fond du coulloir se trouvait 1 grande pièce très éclairée. Il y avait un ring de boxe et des altères et un punching bag dans un coin. Et 1 gars qui est venu et qui a dit C'est qui ça?

Jaden a dit Salut Morgan voici Bunny. Bunny voici Morgan.

Il a doné une des pointes de pizza a Morgan. J'ai dis salut.

Morgan était 1 adulte – avec une barbe et tout. Son nez était applati et ses yeus était menacants. Il avait un siflet dans le coup comme les arbitres.

Tu fais quoi ici mon garson? il ma demandé.

Je ne savais pas quoi dire.

Montre lui Bunny a dit Jaden.

Montrer quoi?

Ton enkre. Ton tatou.

OK j'ai dis. Le pansemant est partit en même temps que ma manche et voila qu'on voyaient le 15. Les yeus de Morgan se sont ouverts tous grands.

Ou as tu trouvé ça? il a demandé.

Dans un cofre a surprise a dit Jaden. C'est la qu'il a trouvé la chandèle aussi. Il est cool.

Morgan continuait de regarder et disait Je sais pas.

Tu fais partis de quelle bande? il ma demandé. Celle de Scarboro? Bonesaw y est allé et il ma dit que c'était plutot malfamé. Tu viens de la ou d'aileurs?

Telment de questions et j'étais incapable de répondre. J'ai conté les goutes noires. 1 2 sur le plancher et d'autres sur les murs 3 4 5 6 7.

Jaden continuait de parler.

Bunny ma sauvé les fesses aujourdui. T'aurais dus le voir balancer cet Angel dans les airs. Bunny conait nos signes. Il est avec les Possy Morgan.

Deus gars étaient dans le ring et tournaient en rond et en rond. Ils étaient abillés comme des luteurs profesionels – shorts moulans et petits gans et c'était tout. Le luteur en short noir était bon. Il était un peu gros mais il bougait vite.

Cette encre est fraiche. Ou est ce que tu l'as fais faire? ma demandé Morgan.

Je conaisais la réponse. Je lui ais parlé du Réservoir d'Enkre et de Roxy le nain et il a mangé sa pizza en fesant oui de la tète.

J'ai vu le vieu Billy du Réservoir cet après midi. Il ma dit quelque chose a propos d'un blanc qui avait fait mal a un Angel sur la rue. C'était toi? Billy ma dit que tu l'avais fais tourner en l'air comme si il était 1 frizbi ou quelque chose comme ça.

Qu'est ce que je t'ai dis Morgan a dit Jaden. Bunny ma sauvé.

Sauf que je savais pas que ce gars était un Angel j'ai dis.

Le luteur en noir a mit l'autre KO avec 1 coup dans le coup. Morgan a siflé dans son siflet et a demandé aux gars d'arèter. Après il a continué a me regarder.

Alord Bunny – coment as tu réussi a devenir un 15?

Je ne comprenais pas ce qu'il me disait. L'anné dernierre j'avais 14 maintenent j'avais 15.

C'est juste arivé comme ça j'ai dis. Comme tout le monde.

Les luteurs étaient apuyés sur les cordes et nous fixaient. Celui qui avait des shorts noirs avait 1 tatou comme celui de Jaden et comme le mien et comme le signe sur le mur xtérieur. C'était de plus en plus bizare.

C'est ton vrai nom ça Bunny? il ma demandé. Comme 1 petit lapin?

J'ai dis ouai et je lui ais demandé son nom. Il a sauté en bas du ring et s'est aproché. Son ventre sortait de ses shorts.

Son nom c'est Jello. Parce qu'il a 1 ventre gélatineus.

Ta gueule Jaden. T'es juste 1 enfan.

Jello bougait avec aisance. Il était en forme. Ses cheveus était rasés alord je pouvait voir son crane en dessous. Il avait la peau très noire – plus que Jaden et Morgan.

Il y avait des mouches partout. Jello en a chassé 1 et elle est partit.

Alord t'es un dur il ma dit. T'es un Bunny dur. Un tueur comme Scratch. Tu sais te batre? Peut ètre que tu peus balancer un Angel dans la rue. Peut ètre que tu peus foutre en l'air un gars dans le coulloir – des blancs. Mais peus tu défendre un frère?

Un frère? j'ai demandé.

Il ne parlait pas de Spencer. Je peus foutre en l'air Spencer quant je veus. Même si on ne se bats plus maintenent.

J'ai pas envi de faire mal a un frère je lui ais dis.

C'est ce que je pensais. T'es pas un 15. Je ni croirai pas tant que Cobra me l'aura pas confirmé.

Ses mots sont restés en l'air devans moi. Comme 1 feuile ou quelque chose comme ça. Un rideau.

Cobra s'en vient a dit Jaden. Atends le Jello. Attends et tu verras. Hé Bunny tu veus quelque chose a boire ?

Peut ètre que je devrais y aller j'ai dis.

C'est ça a dit Jello.

Non – atend Cobra.

Il y avait 2 mouches qui volaient au tour de ma tète. Je les ai atrapé. J'aïs les mouches.

Hé ! dit Morgan. T'es rapide des mains Bunny.

Jaden et moi on a bus du coke pendans que Jello s'est rendu au punching bag et a comencé a cogné. Il était bon. Le punching bag volait dans tous les sens. Morgan était avec lui mais il me regardait tout le temps. Jello frapait le sac et Morgan me regardait. L'autre luteur est venu nous rejoindre sur le divan et a penché la tète. Je pouvais voir ses cotes bouger quant il respirait. Jaden l'apelait Xray.

Wow il a dit.

Quant j'ai finis mon coke je suis allé dans le coin ou se trouvaient les altères. J'en ai pris 1. C'était écrit 20 dessus alord j'ai pensé que je devais la lever 20 foies. Quant je suis arivé a 20 j'ai déposé l'altère et mon téléphone a soné.

C'ÉTAIT SPENCER. HÉ ! J'AI DIS.

IL MA DIT HÉ LUI AUSSI et on a parlés 1 momant. Il ma dit qu'il avait recu la photo de mon
tatou et qu'il le trouvait cool. Ses mots rentraient et
sortaient. J'ai apuyé le téléphone sur mon oreie pour
mieux l'entendre. Il ma demandé quelque chose a
propo du 15. Je lui ais parlé de Jaden et des Possy. Je
suis avec eus maintenent. Je lui ais demandé si il avait
eu son baisé. Pas encore il ma dit. Il était dans 1 endroit qui s'apelait Torrents. Je lui ais demandé si
Torrents était a Buffalo parce que je pensais que c'est
la qu'il allait. Non il a dit. Torrents en Ontario. Il
était avec 1 autre gars a la place de papa. Spencer
conduisait. Il ma tout raconté.

Al Capoli? j'ai demandé. T'es avec un homme qui s'apele Al Capoli? Et tu conduis une décapotable blanche?

Pas mal je me suis dis.

J'ai entendus un soupir et je me suis retourné. Un étranger me regardait. Il était suremant entré dans le jym pendans que j'étais au téléphone. Il mesurait comme plus que 2 mètres. Je lui arivais a la chemise. Il était mince mais costau. Il était bandé comme 1 arc comme si il était près a envoyer 1 flèche. Un gars cool avec 1 cool tatou dans le coup – 1 serpens avec des cros.

Al Capoli? il ma demandé.

Il m'avait suremant entendu.

J'ai mis ma main sur mon téléphone. Je parle a mon frère j'ai dis.

Al Capoli de Buffalo? il ma dit.

Ouai.

Jaden se tenait a coté du grand gars. Cobra voici Bunny il a dit en me pointang du doit. Tu le conais pas vrai?

Tout le monde me regardaient – Morgan et Jello et Xray et Jaden et Cobra.

J'ai salué Cobra de la main.

Est ce que Al Capoli est a Torrents en ce momant? il ma demandé.

J'ai fais oui de la tète. Vous savez comme quant on parlent a quelqu'un au téléphone et qu'il y a quelqu'un d'autre dans la pièce en mème temps ? C'est comme ça que je parlais a Spencer et au frère de Jaden.

Al Capoli est a Torrents en Ontario dans une décapotable blanche j'ai dis a Cobra. Il a levé ses bras au ciel et il a foutut le camp.

Je suis retourné a Spencer. Il était conant que les choses se passent bien pour moi. Je lui ais dis que j'avais fais des pompes et il a dit que c'était xcellent mais qu'il devait se sauver en courant. J'ai fais 1 blague et j'ai dis t'es pas en train de conduire ? Au lieu de courir. Il ma dit ouai et au revoir et il a racroché.

9 heures bientot. Il faudrait que je parte.

Cobra tenait 1 celulaire. J'aimerais parler a Rocko ou Al il a dit. C'est Cobra de la rue 15. J'ai quelque chose pour vous. Rapelez moi.

Ton frère est grand j'ai dis a Jaden. Il n'a pas répondu.

L'altère a coté de moi était plutot grosse. C'était marqué 35 dessus. J'avais pas envie de la lever 35 foies.

Cobra est venu me voir. Il s'est penché.

Coment ça tu en sais autant? il ma demandé.

Sa tète était proche de la mienne. Est ce qu'il blaguait? Persone ne pense jamai que j'en sais beaucoud.

Capoli est manquant il a dit. Rocko Wings ne sait pas ou il est. Persone a Buffalo sait ou il est. Mais toi oui. Un petit gars blanc sortit de nul part. Coment c'est posible il ma demandé.

J'ai rien dis. Cobra était trop gros. Pas juste grand mais il prenait de la place. Je pouvais pas réfléchir a coté de lui.

T'es 1 mistère Bunny il ma dit. Un vrai mistère. T'as tué qui?

Quoi?

Il a pointé son doit vers mon bras.

Ton tatou dit que t'es dans les Possy il ma dit. Et que t'es 1 tueur. Jaden ma dit que t'as été en dedans. J'ai été en dedans aussi et je sais qu'il y a des mauvais gars en dedans. Des foies tu peus travailer avec eus et d'autres foies non. Des foies il faut que tu t'imposes. Pas vrai Bunny? Défends toi pour toi même et pour tes amis.

Les choses étaient bizares. Tout le monde étaient noirs et musclés et me regardaient et je ne comprenais pas pourquoi. Peut ètre parce que je n'étais pas noir. Les yeus de Cobra resemblaient a des lazers qui me pénétraient. Je ne savais pas ce qu'il voulait dire en me traitant de tueur. Je me sens ridicule quant j'y repense mais je ne savais vraimant pas. Grand-père nous apelait tueur des foies mais c'était pour rirre. Hé tueur il disait a DJ ou a Webb ou a Steve. Hé tueur coment ça va? Je savais pas ce qui se passait au jym alord j'ai fais oui de la tète a Cobra. Jaden se tenait a coté de son frère et me sourriait.

Défends tes amis j'ai dis. Ouai.

Je pensais a Jaden.

Cobra a défait les boutons de sa chemise et la déposée. Il avait un 15 avec 3 chandèles.

Tu vois ça Bunny? il ma dit et j'ai répondu ouai. Tu sais ce que ça veut dire hein? Ça veut dire que j'ai pas peur de défendre les Possy il a dit. Et toi non plus. Les Possy viennent en premier. D'acord?

D'acord j'ai dis. Les amis en premier.

Dis le. Dis que tu es un 15.

Il boutonait sa chemise.

C'est sur j'ai dis. Un 15.

Il y avait quelque chose de bizare avec le tatou. A quoi avait pensé grand-père? Pourquoi mon 15 était partout au tour de moi? Je n'en savais rien mais je continuais a dire ouai comme toujour. Cobra pensait que j'étais 1 dur et ça me fesait plaisir. Il a montré son point et j'ai fais pareil et on a xplozer ensembles. Il a apelé tout le monde au tour et a posé sa main sur mon épaule.

Ici devans vous c'est Bunny il a dit.

Jaden a sourri. Morgan a fait ouai de la tête. Jello n'avait pas l'air contant. Xray hochait encore de la tète et disait Wow.

Le téléphone de Cobra a soné et il la ouvert tout de suite comme d'un bon.

Salut Rocko il a dit. T'as bien eu mon message?

LES ACTUALITÉS ÉTAIENT A LA TÉLÉ

QUANT JE SUIS RENTRÉ a la maison. Maman était assise dans sa chaise. J'aime pas les nouvèles alord je me tenais dans la porte en me préparant a monter a l'étage quant la voiture de police et le ruban jaune sont aparus a l'écran. L'homme a la télé disait quelque chose a propos des Angels.

De quels Angels il parle? j'ai demandé a maman.

Une bande elle a dit. Mimico Angels. Ils vivent a l'ouest d'ici. Regarde a la télé – c'est la stasion de métro.

C'est quoi le problème avec les Angels? j'ai demandé.

Ils font des choses afreuses elle ma dit. Sur la rue 2 les policiers metaient 1 gars dans une voiture. Il avait 1 barbe noire et un gilet de pirate. La porte de l'auto s'est refermé et c'était la fin des actualités et la télé est passé a 1 fille qui ouvrait une boite de conserve de boufe pour chats.

Bone nuit maman j'ai dis.

Bone nuit.

Je me suis conecté a internet pour savoir ou était rendu Spencer. Ça ma prit du temps mais j'ai finis par trouver Torrents. Ça n'avait pas l'air très loin de Tronto mais il n'y a rien qui semble loin quant on regardent 1 carte pas vrai? Je veus dire la Chine et le Pérou sont pas vraimant éloignés sur 1 carte. Tu peus recouvrir l'Afrique avec 1 seul main.

J'ai mis ma crème visqueuse. Il n'y avait plus de sang et le tatou ne me fesait plus trop mal. J'ai plié mon bras et le 15 a bougé. Je suis allé me coucher et j'ai pensé a cette brutte et a Jaden. J'ai pensé a Cobra et a quel point il prenait toute la place. J'ai pensé a sa main sur mon épaule et a Jaden qui sourriait.

Maman est partit jouer les Profs O'Toole pour dire au monde plus de choses a propos de coment on saient ce qu'on saient. J'étais tout seul dans la maison. Des foies je suis tout seul parce que Spencer regarde 1 film dans sa chambre et papa écrit au sous sol – pas vraiment tout seul mais c'est comme si. Aujourdhui c'était diférent mais pareil aussi. J'ai mangé mes tartines de confiture et regardé la télé mais j'avais 1 endroit ou aller après. J'était telment xcité que j'avais du mal a manger mon déjeuné. Crème visqueuse sur le tatou et hop dehors. Morgan balayait le jym quant je suis arivé.

Tien tien il a dit. Regarde qui est la.

Il était seul dans la place. Je lui ais demandé ou était Jaden. Il ma dit qu'il ne le savait pas mais il ma demandé si je voulais m'entrainer en attendans. Choisi ce que tu veus il ma dit avan de recomencé a balayer.

Je soulevais l'altère 20 quant Morgan est venu me voir et ma dit que je m'y prenais mal. Il ma montré. Son bras était énorme.

J'ai essayé a sa fasson mais c'était plus dur. Je peus pas en faire 20 j'ai dis.

Vas y pour 12 alord.

Mais c'est marqué 20.

Il ma regardé bizarement. 12 c'est bon aussi il ma dit.

Il ma demandé si j'avais envie de me batre et j'ai dis ouai.

Je ne me bat pas a la maison parce que maman et papa détestent ça et Spencer n'est pas capable. Et plus persone s'en prend a moi a l'école. Mais il y a de la bagare a la télé. Spencer et moi on regardent la lute des foies avan que papa change de chaine. J'esaye de voir coment les gars font leur mouvement.

T'es rapide ma dit Morgan. Je t'ai vu atraper les mouches hier. T'as des mains rapides.

J'imagine j'ai dis.

On est montés dans le ring.

Premierre chose il faut aprendre a tomber il ma dit. Tu vas te faire cogner et il faut que tu comprenes coment tomber vite et de fasson sécuritère. On comencent ici dans le ring parce que le plancher est mou.

Je sais coment tomber j'ai dis.

Ah ouai? Montre moi.

Il ma foutu par terre d'un coup de point. Ses mains étaient sorties de nul part et m'ont cognées a la poitrine et sa jambe était derrierre mon pied et je suis tombé par terre et je suis resté la en disant O. J'avais pas mal – j'étais juste surpris. Je me suis relevé.

Plutot lent ma dit Morgan. Avec 1 petit sourirre dans la fasse.

C'est pas juste j'étais pas près j'ai dis.

Se batre c'est pas ètre juste Bunny. T'es un enfan et je suis 1 encien pro. C'est pas juste ça non plus. Crois moi – tu veus savoir coment tomber.

Je le fixais droit dans les yeus.

Pour vrai je lui ais demandé. T'étais 1 pro? 1 luteur comme a la télé?

Ouai. Maintenent regarde moi.

Il est tombé mais avan que je m'en rende conte il était revenu sur ses pieds.

Et ça c'est avec ma mauvaise jambe il ma dit.

Je lui ais demandé si il conaissait encore des gars de la lute profesionelle. Il ma dit non. C'était il y a long temps il ma dit. Il s'entrainait dans 1 jym de New York et ils allaient tous signer 1 contrat avec la télé mais il s'est cassé la jambe dans 1 bataile d'entrainemant et il n'est jamais retourner.

Et c'est arivé parce que je suis pas bien tombé il ma dit. Ma jambe s'est tordue et quelqu'un a sauté dessu et elle a cassée.

Ouile j'ai dis.

Esaye maintenent il ma dit. Esaye de tomber.

Je l'ai fais. Esaye encore il ma dit. Alord je l'ai fais encore. Rentre ton épaule il ma dit. Tombe pas a plas. Tombe en tournant. Frape comme une masse et tombe comme une bale.

Quoi?

C'est ce qu'on dient.

J'ai sourri. Cool j'ai dis.

Je suis tombé encore. Et encore. Et encore. Mon épaule me fesait mal mais je comencais a comprendre le truc et Morgan me disait que je m'améliorais.

Jello est arivé et ma demandé ce que je foutais la.

On dirait que t'as envi de te batre il ma dit. Il portait des lunetes de soleil et 1 chemise avec des rayures et il mangait un beignet. Tu veus te batre petit blanc? Tu veus? Je vais te batre. Je vais te cogner comme 1 tambour il ma dit.

Je ne suis pas sur a dit Morgan. Bunny est plutot rapide.

Comme 1 tambour a répété Jello.

C'est a ce momant que Jaden est arivé et ma demandé si je voulais faire quelque chose pour Cobra. C'est sur j'ai dis. Alord je suis parti sans me batre contre Jello. J'ai dis peut ètre 1 autre foie et il a dit n'importe quant. Il a essayé de me pousser mais je l'ai esquivé.

J'ai pensé a ce que Morgan avait dit. Frape comme une masse et tombe comme une bale. Cool non ?

LE SOLEIL ÉTAIT DERRIERRE NOUS

PENDANS QU'ON MARCHAIENT dans la rue. Mon ombre était plus grande que celle de Jaden – la sienne ressemblait a 1 paquet de batons a coté de ma grosse masse. Il me parlait de taguer. C'est ce qu'on allaient faire. On allaient faire des tags aujourdui.

Comme le jeu? je lui ai dis.

Quel jeu?

Tag.

Il a ri. T'es drole toi il ma dit.

Je lui ais demandé si il savait que Morgan avait été 1 luteur pro? Jaden n'aimait pas du tout la bagare et il ne voulait pas en parler. Ok je lui ai dis. On a marché encore et tout d'un coup il s'est arèté alords j'ai fais pareil.

Regarde ça il ma dit.

Quoi?

Il pointait son doit vers 1 mur de brique. Le devans d'un endroit aux vitres placarder. Ouai ouai j'ai dis mais je ne savais pas ce que je regardais.

Ces putins d'Angels il a dit. Taguer sur notre territoirre. C'est la rue 15 ici. Ils peuvent pas metre leur tag ici.

Hein? j'ai dis.

Regarde!

Plein d'écritures et de dessins sur le mur de brique. Des choses diférentes. Au milieu du mur il y avait 1 grosse lettre blanche. Un A avec un O au dessu. Comme ça:

C'est leur tag? j'ai demandé. Jaden avait 1 sac. Il a sortit 1 bombe aérosole rouge et a peint le signe. Ensuite il a prit 1 bombe noire et a tagué un 15 par dessu le rouge.

Ils seront pas fachés? j'ai demandé.

Qui?

Ceus qui vivent ici. On écrient sur leur maison.

Persone habite ici il ma dit avec 1 sourirre et en me poussant.

Le sourirre était réel ce qui a rendu le reste OK. C'était la premierre foie que quelqu'un me traitait de stupide et que je me sentais pas mal.

15 comme mon tatou j'ai dis.

On est les Possy de la rue 15 non? C'est notre tag. Ceus qui voient ce signe savent que les 15 sont passer par la.

Ah ouai j'ai dis. C'est sur.

Alord maintenent je conaissais les tags. C'était 1 fasson de dire qu'on étaient passer par la. Nous. La.

Moi et Jaden on a circulés sur la rue 14 et la rue 15 et la rue 16 a la recherche de tags des Angels pour les repindre. Il y en avait sur des imeubles et des paneaus de circulasion et des trotoirs. Il y avait 1 gros *A* sur le mur d'1 magasin de beignets. Je suis entré a l'intérieur pour demander si c'était OK si on taguaiant par dessu. Le gars derrierre le contoir ne comprenait rien a ce que je disais et Jaden ma trainé vers l'xtérieur en me disant que j'étais fou.

Ce gars la se fout de ce qu'il y a sur le mur de son magasin il ma dit.

O j'ai dis.

Mon préféré c'est celui qu'on a fait sur un paneau STOP. Les Angels avaient mit un *A* sous le *O* pour faire croire que c'était leur tag. Jaden a fait un nouvau tag sur le paneau. Il a gomé le *A* avec de la pinture et puis – vous savez que le *S* ressemble a un *5*? Jaden a placé un *1* blanc devans le *S* et a corigé le *S* pour qu'il ressemble plus a un *5* et le paneau avait l'air de dire *15 TOP* – voulant dire qu'on est le top. C'était cool. Il était monté sur mes épaules pour ateindre le paneau.

C'était son bouleau – chercher les tags des autres.

C'est pour ça que le Angel le poussait par terre quant je l'ai rencontré – il n'aimait pas que Jaden eface leur tag.

Je cherche les Possy sur la rue il ma dit. Faut qu'on soient capables de montrer que c'est notre territoirre ici.

Territoirre j'ai dis.

Ou on est. Ou on trainent. Les autres bandes viennent ici et posent des tags sur notre territoirre et moi je les eface.

C'est comme ramaser la merde de chien j'ai dis. Tu veus pas que les Angels viennent faire caca sur ton gazon.

Il a ri encore. T'es un drole de Bunny il ma dit.

C'était l'heure de manger alord on est retournés au magasin de beignets – celui avec notre tag dessu. J'avais eu des chausures de sport super cool pour mon aniversaire et aussi de l'argent et comme il m'en restait 1 peu je nous ais payés un beignet et 1 café. J'aurais plutot pris un coke mais Jaden a dit un café alord j'en ai pris un aussi mème si je n'en avais jamai bu avan. J'ai mis du lait et 4 sucres comme lui. On a aportés notre lunch jusqu'au lac. Il y avait des pieres et des ordures et des trucs et on a descendus directemant jusqua l'eau et on est montés sur des grosses pieres plates et on est restés la a manger et a boire. Le lac est telment grand qu'on peut pas voir de l'autre coté. Le café était plutot bon.

Un oizeau a ateri a coté de moi et s'est mit a crier. Il est venu me voir directement et s'est mit a crier. Donne il me disait. Donne donne donne donne. Je me suis demandé c'était quoi son nom. Il me restait encore 1 peu de beignet alord j'allais lui en donner 1 peu quant un autre oizeau est arivé et a fait la mème chose. Donne. Et 1 autre et 1 autre encore. Des oizeau blanc avec 1 bec jaune et des yeus menacans. Ils étaient tout au tour de nous et disaient Donne. Comme je pouvais pas leur donner du beignet a tous je l'ai mangé.

J'ai demandé si les Angels avaient 1 territoirre. Jaden a dit bien sur qu'ils ont 1 territoirre. Plus loin vers Mimico Street. J'ai dis qu'on devraient y aller et faire nos tags la bas et son visage s'est iluminé. Ce serait super cool il a dit mais il faut demander a Cobra avan. C'est ce qu'on a faient – on est retournés au jym et on a demandés a Cobra et il a dit non. Il voulait que persone aproche les Angels.

Pas maintenent en tout cas.

Un Angel s'est aproché de moi hier a dit Jaden.

C'était loin vers la rue 20 a dit Cobra. Et tu emerdais le gars non? Tu le suivais et taguais par dessu ses tags dès qu'il en fesait 1 non?

Peut ètre a dit Jaden.

On était tous dans le bureau – 1 petite pièce a l'écart du jym qui sentait la fumé et la sueur. Cobra et Jello étaient assis sur le divan et regardaient la télé. La tète de Cobra était a la mème auteur que celles de moi et de Jaden.

Je veus pas de problème avec les Angels tant que le deal ne sera pas conclu.

Ah ouai le deal a dit Jaden.

Les 2 se sont tournés vers moi.

T'en sais pas plus que ça sur cette afaire hein petit gars mistérieu? a demandé Cobra.

Quoi? j'ai dis.

Le deal a répété Cobra.

Quel deal?

Celui avec les Angels et les gars de Buffalo. Tu savais ou se trouvait Al Capoli. Il fait partit du deal – Rocko la dit. Est ce que tu sais quelque chose que t'as pas dis?

C'est mon frère qui est a Torrents j'ai dis. Il ma texté encore mais il ne parlait pas du deal.

T'es sur? a dit Jello. Il parlait de quoi? Laisse moi voir.

Il s'est levé et est venut vers moi.

Qu'est ce qu'il t'a dit ton frère? il ma demandé. Vous parler de notre deal par téléphone? Montre nous.

Ouai montre nous a dit Cobra. Le tatou dans son coup était fait avec de l'enkre noir sauf pour les yeus et les cros qui étaient rouge. Plutot intense.

J'ai sortis mon téléphone. Tu vois? j'ai dis. Voila mon texte qui dit que mon tatou me fait encore mal. Et ça c'est ce que Spencer ma renvoyer.

Je tenais mon téléphone a plas et on regardaient tous l'écran – moi et Jaden et Cobra et Jello. Le texte disait: «Les toiletes xtérieures ont xplozées je t'en parles plus tard.»

Qu'est ce que ça veut dire ça? a demandé Cobra.

Je n'en avais aucune idée.

MAMAN ÉTAIT DE BONE UMEUR

QUANT JE ME SUIS REVEILÉ le lendemain matin. Elle était dans la cuisine avec son café et son chapau de golf et ses shorts qui donent l'impression qu'elle est 2 persones. Elle ma dit allo et ma demandé si j'avais bien dormi. J'ai dis ouai ouai. Et toi?

Bien.

L'odeur du café me rapelait celle du magasin de beignets. Je m'en suis servis 1 tasse et j'ai mis beaucoud de lait et de sucre. Le soleil brilait et le plancher de la cuisine était jaune pètant.

Maman avait son téléphone dans les mains. C'est pas super ça? elle a dit.

Quoi?

J'ai recu 1 texto de ton père. Il me dit que lui et Spencer ont beaucoud de plaisir dans leur voyage. Il a l'air très xcité.

Est ce qu'il a dit quelque chose a propos des toiletes xtérieures qui ont xplozées? j'ai demandé.

De quoi tu parles Bunny? Toiletes xtérieures? Quelles toiletes xtérieures? Ils sont a New York. Il n'y a pas de toiletes xtérieures a New York Bunny.

O j'ai dis.

Il faut que je pense a des restorants pour eus elle a dit. Ton père et moi somes allés dans 1 place magnifique dans So O. Je me demande si Spencer aimerait.

J'ai l'abitude de me tromper. A l'école par xemple si Madame Lee demande que font 2 couleurs quant on les mélangent et que je pense que la réponse est orange et que quelqu'un dit que c'est vert alord vert est probablemant la bonne réponse. C'est a ça que je suis abitué. Mais j'étais pas mal sur que je ne me trompais pas cette foie. Spencer a dit qu'il était a Torrents pas a New York. Je ne pensais pas qu'il m'aurait raconté 1 mensonge. Mais si il avait un problème c'est posible qu'il avait mentit a maman. Un problème comme des toiletes xtérieures qui xplozent.

Qu'est ce qu'il y a Bunny?

J'étais pas abitué a mentir. Mais je ne voulais pas dénoncer Spencer.

Rien j'ai dis.

Elle a déposée son téléphone et a sortie ses batons de golf de l'armoire. Tous les dimanches elle va golfer avec d'autres profs. Papa rit d'elle parce qu'elle dit des gros mots au golf. Il n'aime pas les gros mots. Elle lui dit de se taire mais elle sourrit en lui disant alord ça va.

Avan de sortir elle ma prit dans ses bras.

Je serais de retour dans l'après midi elle ma dit. Tu as mon numéro de celulaire.

OK.

Tu seras ou?

Je sais pas. Avec Jaden.

Bien. C'est bien.

Elle se tenait dans le cadre de la porte et me regardait.

Amuse toi bien aujourdui elle ma dit.

Toi aussi j'ai dis. Fait 1 oizelet.

Est ce que c'est du café? Quant as tu comencé a boire du café?

Hier j'ai dis.

Et c'était vrai. Je n'avais pas a mentir tout le temps.

Le tramway s'est arèté. Les voitures au tour de nous klaxonaient. Persone avancait a ce que je pouvais voir. Le chaufeur nous a dit qu'il y avait un axident et il nous a laissé sortir. J'ai commencé a marché. J'ai suivi la route qu'aurait prit le tramway si il avait continué. Après 1 momant je suis arivé a l'axident. Pas de sang ni rien juste des voitures et la police et les dépaneuses et de la vitre. La rue Lake Shore était maintenent libre mais pas de tramway. J'ai continué a marché.

J'ai vu plein de tags sur des clotures et des imeubles pendans que je marchais. Sur le trotoir aussi. Des tailes diférentes mais tous blanc et du mème genre.

Les tags des Angels. J'imagine qu'ils avaient toujour été la mais je les voyais maintenent parce que je marchais et a cauze de ce que Jaden et moi on avaient faits hier. Je suis passé devans 1 paneau qui disait Mimico. La route tournait. Quelques gars se tenaient a l'xtérieur d'un magasin du coin. Ils bayaient et ils fumaient et ils crachaient. Quant je suis passé devans eus ils m'ont crachés dessu et m'ont dit de foutre le camp. J'ai continué a marcher. Il fesait soleil mais j'avais froid.

J'ai entendu 1 moto au loin. Ce bruit de pet qu'elles font – *brrrrr*.

Les noms des magasins contenaient tous le mot Mimico. Quincailerie Mimico. Bar et Gril Mimico. Garderie Mimico.

Le bruit de la moto se fesait plus ford. Elle roulait plus vite maintenent et le son resemblait plus a *vrooooom*. J'ai axéléré aussi. J'essayais de conter ma respirasion. Inspirasion 2 3 4 et xpirasion 2 3 4. Je suis arivé aux rues a numéro.

Il y avait un magasin de cochoneries avec un gros tag Angels sur la fassade. Un gars avec 1 barbe entrait. Il s'est arèté et ma regardé. J'ai continué a avancé. Au feu suivant des motos sont arivées a ma auteur. Le feu était rouge et les motos fesaient *brrrrrrrr* et les gars me pointaient du doit. Les 2 avaient des manteaus de motos avec 1 signe des Angels dans le dos.

Inspirasion 2 3 4.

J'étais tout seul. Les Angels étaient les mauvais garsons. Je le sentais. J'avais envi de voir quelqu'un des 15 – Jaden ou Morgan ou Cobra. Mème Jello. J'aurais été contant de voir Jello mème si il ne m'aimait pas.

J'ai texté Jaden en espérant qu'il me textrait en retour et je ne serais plus seul.

Les motos roulaient doucemant comme si elles avaient voulues que je les ratrape. J'ai pris la rue 3 pour ne plus les voir. Au premier coin de rue j'ai tourné et je me suis mis a courir. Inspirasion 2 3 et xpirasion 2 3. J'ai entendu les motos. Elles fesaient *vroooooom* maintenent. Elles me poursuivaient. J'ai pris la premierre a gauche. Et la suivante a droite. Je n'arètais pas de penser a ce que les motos feraient de moi. Probablemant rien. Probablemant juste rirre. J'étais dans des rues ou les enfans jouaient dans des brouetes et ou les hommes tondaient leur gazon. Je ne pensais pas a ça. Je ne pensais pas a nous en train de faire 1 deal avec les Angels. Tout ce que je pensais c'était qu'ils étaient les mauvais garsons et qu'ils me poursuivaient. Inspirasion 2 et xpirasion 2 et inspirasion 2 et xpirasion 2.

Les Angels ont abandonés et ont vroomés aileurs le bruit devenant de plus en plus faible. J'ai pris 1 profonde inspirasion et j'ai continué. Quant je suis arivé a la rue 9 j'ai vu le premier tag 15 et je me suis sentis réconforté. Bizare hein ? La semaine dernierre je ne savais mème pas ce que c'était 1 tag. Sur la rue 10 il y avait 1 gros batimens et beaucoud de gens en sortaient et il y avait de la musique aussi. On était dimanche. On ne va pas a l'église parce que maman et papa disent qu'il n'y a pas de Dieu mais beaucoud de gens y vont. La musique était agréable et les gens bien abillés et ils se sourriaient entre eus. Et puis Jaden est arivé. Il était avec 1 viele femme qui portait 1 gros chapau blanc. Quant il ma vut il s'est précipité vers moi.

Bunny!

Il était contant de me voir – je le savais. Mais il était autre chose aussi. Il ma demandé ce que je foutais la. Je lui ais parlé des Angels qui me poursuivaient et il a hoché la tète et a dit ouai. On a décidé de se retrouver au jym. Il voulait retourné chez lui pour metre d'autre vètemens.

T'en a bezoin je lui ais dit.

Il portait 1 chemise avec des boutons et un pantalon sèré.

Ta gueule Bunny.

Juste 1 blague je lui ai dis.

Les gens de l'église ne m'aimaient pas. Ils ne me sourriaient pas. La plupart ne me regardaient mème pas. J'ai demandé a Jaden qui était la femme au chapau.

Qui? Ah tu veus dire ma grand-mère.

Il a fermé sa gueule en 1 éclaire. Il ne voulait pas parler d'elle.

Je te vois bientot il ma dit et je lui ai dis a biento et il est parti en marchant le long de la rue. Quant sa grand-mère a voulu poser son bras sur son épaule il la repousser. Il ne s'est pas retourner vers moi.

TOUT L'APRÈS MIDI ON A SAUTÉS

DANS LE RING pour nous batre. Morgan inspectait notre équipment et sonait 1 cloche pour que le combat comence. Moi et Xray et Jello et Snocone. J'étais plutot bon. Me batre c'est quelque chose que je peus faire. Je peus pas courir vite mais mes mains oui – je veus dire bouger vite. Elles bougent toutes seules. Je n'essaye pas de leur faire faire quelque chose de spécial mais elles le font quant mème. Et je suis plutot ford. Je peus soulever des choses – comme des meubles. Papa m'apele toujour quant il netoie la cuisine et je tire le frigo pour le sortir de son trou.

Le premier combat c'était moi et Xray qui pratique les arts marciaus avec 1 sorte de cinture. Il donait beaucoud de coups de pied mais je l'atrapais toujour. Il n'aimait pas ça. Quant je me suis retourné il a sauté dans les airs pour me fraper par en arierre. Je ne l'ai pas vu venir mais ma main oui. Elle a bougée toute seule et a poussée sa jambe dans les airs et il est tombé sur la tète et a dit ouche! Avan il disait wow – maintenent il disait ouche. Ses cheveus se sont étalés sur le sol comme 1 vadrouille.

Pauvre Xray a dit Jaden.

Morgan a grimpé dans le ring pour aider Xray a se relevé.

J'ai demandé a Jaden si il voulait se batre mais il a dit non de la tète. Il aimait trainer au jym mais il détestait se batre.

De toute fasson j'aurais aucune chance contre toi Bunny il a dit. T'es bon. T'es peut ètre aussi bon que Jello mème. Qu'est ce que t'en penses Morgan? Il est aussi bon que Jello?

Probablemant pas a dit Morgan.

Il tenait Xray pour qu'il puisse se relever. J'ai demandé a Xray si il voulait se batre encore et il a essayé de dire quelque chose mais tout ce qui est sorti c'est ouche. Morgan a rit.

Ensuite Jello est entré dans le jym. Il portait ses shorts de combat comme avan et il a enlevé son t shirt et dit que c'était son tour. Il ma apelé le petit blanc et ma demandé si j'étais près.

Ben sûr que je suis près.

Morgan a siflé dans son siflet et Jello s'est rué vers moi. Je l'ai poussé de l'épaule pour le faire tourner et il a été surprit et il est tombé. Je lui ais sauté dessu et je l'ai coincé avec 1 prise et ses yeus sont devenus gros et Morgan a siflé dans son siflet encore. La bagare a durée 10 secondes. Jaden a aplaudit. Jello lui a dit de fermer sa gueule et ma dit que j'avais été chanceus. Il était esouflé et ses yeus était petits et en colerre.

1 autre foie il a dit.

Ben sur.

Cette foie il y est allé plus doucement et j'ai fais l'erreur de trop m'aprocher. Il a décoché 1 gauche puis 1 droite et pendans que j'atrapais ses mains il ma mit 1 coup de genou juste la. Vous savez «la».

Wow ça fait mal.

Il ma doné 1 coup de point et j'ai pas eu le temps d'atraper ses mains et je suis tombé au sol et il m'est tombé dessu. Je pouvais plus respirer. Morgan a siflé dans son siflet.

Je l'ai eus a dit Jello.

Ça ma prit du temps a me remetre sur mes pieds.

T'es pas tombé en roulant ma dit Morgan.

Je savais pas que tu pouvais doner 1 coup la j'ai dis a Jello.

Je me bas pour gagner il a dit. Je fais ce qu'il faut pour y ariver.

On a fait 1 pause et Morgan ma emené dans 1 coin. Qui t'a aprit a te batre? il ma demandé.

Apri? je lui ais dit.

Tes mains sont telment rapides. Je t'ai vu hier et encore aujourdui. T'as esquivé la charge de Jello et tu lui as fais perdre l'équilibre. Après la prise. Quelqu'un t'a aprit a faire ça?

Des foies a la maison de campagne il y avait des bagares. 6 garsons et on s'aimaient tous mais on se bataient quant mème. On étaient dans la foret sans adulte et DJ poussait quelqu'un. Adam et Webb démaraient des foies les choses mais c'était surtout DJ. Il jouait les patrons. 1 foie on étaient tous dans le champ derrierre la grange et DJ a poussé Steve par terre et Adam a ensuite poussé DJ par terre et on s'est tous batus et grand-père nous a vu et a atrapé le boyeau d'arosage. On étaient trempés et lui riait et il nous a amené dans la grange et nous a montré coment se batre mieu.

Ne poussez pas directement il avait dit. Faite tourner l'autre gars en rond. C'est comme ça que les policiers fesaient dans l'armé durans la guère. Comme ça. Et il a frapé l'épaule d'Adam et il l'a fait tourner jusqua ce qu'il tombe. Comme ça. Et il a frapé l'épaule de Steve.

Comme ça! a dit DJ et il a essayé de fraper mon épaule mais j'avais atrapé sa main.

Très bien Bernard a dit mon grand-père.

Après on a tous esayés de le faire – atraper quelqu'un par l'épaule et le faire tournoyé. Spencer détestait ce jeu mais moi j'étais bon. Papa avait dit qu'il était d'acord pour que je le fasse à la maison de campagne mais pas chez nous parce que c'était trop agresif. Papa disait qu'agresif c'était mal.

Tu veus en aprendre plus? ma dit Morgan. Viens ici et je vais t'aprendre a doner des coups de pied. On s'est rendus au lourd sac et il ma demandé de lui doner 1 coup de pied de coté. Je l'ai fais et il ma dit non. Tu es trop près et trop droit il ma dit. Recomence de plus loin et avance. Alord j'ai fais ça et c'était mieu. Maintenent tourne ton corp quant tu dones le coup de pied a dit Morgan. Tu veus faire tourner le sac avec ton pied comme tu le ferais avec tes mains.

J'ai pensé a ça et j'ai frapé le sac comme si c'était mon cousin DJ et que je frapais son épaule. Le sac a bougé 1 peu et Morgan a dit oui avec sa tète. C'est très bien il a dit. Maintenent refais le. Et je l'ai fais. Et encore et encore et encore. J'ai essayé avec mon pied gauche mais je n'étais pas aussi bon. Continue a dit Morgan. Les pieds sont plus fords que les bras. Et plus longs. Maintenent tu sais quoi faire si quelqu'un s'aproche de toi avec 1 couteau.

Quoi? je lui ais dit.

Utilise ton pied contre 1 couteau.

Un couteau? j'ai répété.

Il a mit des coussins sur ses bras et ma demandé de fraper dessu. Il a comencé a remuer les coussins et je les frapais tous sans arèt. Bien il ma dit. Après il ma demandé de les fraper avec mes pieds et j'ai fais ça aussi. Morgan bougais les coussins de plus en plus vite. Des foies il me disait pied et d'autres foies il me disait bras. Jello est venu nous voir et j'ai vidé mon espris et j'ai continué à fraper les coussins. Je ne les ratais jamai. Après 1 momant Morgan était fatigué et il a baissé les bras et j'ai pris 1 grande respirasion.

Bien Bunny a dit Morgan. Très bien.

Bien pour 1 blanc a dit Jello. Il est bon mais pas aussi bon que moi.

Tu frapes plus ford Jello a dit Morgan. Travaile ta respirasion et ton jeu de jambes et ton pois et tu te retouveras a l'octogone un jour. Mais le blanc est plus rapide.

J'ai pas besoin que tu me dises ou je me retouverai 1 jour mon vieu a répondu Jello. J'ai pas besoin de toi du tout. Et le petit blanc je lui ferai mal 1 jour.

Il s'est tourné vers moi. Je le ferai il ma dit.

On est allés dans la pièce ou il y avait la télé et le divan. Il y avait une glacière avec du coke et de la bière dedans. On a regardés 1 émission sur la nature – des bestioles et d'autres choses. Assez dégueu. Jello est venu derrierre moi et a dit mon nom. J'ai dis salut et il ma foutu son point sur la gueule. Juste *boum* sans rien dire d'autre. J'ai atrapé son poignet avan qu'il me touche encore.

Pourquoi t'as fais ça? je lui ais demandé.

Il s'est assit a coté de moi. Il hochait de la tète.

T'es rapide! il ma dit. Je comprends maintenent pourquoi on t'apellent Bunny. Rapide comme 1 lapin. Coment ça se fait que t'es aussi rapide.

J'en sais rien j'ai dis.

On a regardé les bestioles a la télé pendans quelques minutes. Ils mangaient toute la foret.

Tu vas me cogné encore? j'ai demandé.

Je sais pas il ma dit en sourriant donc c'était 1 blague.

J'ai sourri aussi. Et je me suis posé des questions.

C'était l'heure du souper d'après mon téléphone. J'ai envoyé 1 texto a maman pour dire que je serais pas à la maison bientot. **Je suis avec ma bande** je lui ais écris. Parce que c'est ça les Possy – 1 bande. Et j'en fesais partis maintenent. Xray s'est assit à coté de moi sur le divan avec la tète dans les mains et quant je lui ais dit que je m'xcusais il ma dit que c'était pas de ma faute. Sa vie était nul de toute fasson – elle était juste plus nul maintenent.

Jello ma regardé d'un drole d'air. Xray parle toujour comme ça il ma dit. Tu verras.

Pauvre Xray a dit Jaden.

Quant Snocone a cogné a la porte du jym je suis allé lui ouvrir et quant je lui ais fais le signe – point fermé puis ouvert – il me l'a rendu. Il avait des quartons de pizza dans l'autre main.

T'es qui toi? il ma demandé.

Cobra est arivé derrierre lui. Il avait un long t shirt blanc et 1 petit chapau qui resemblait a une rondèle de hockey – comme en Afrique. Et des clés de bagnolle dans sa main.

Snocone voici Bunny il a dit. Fais atention a lui. C'est 1 tueur.

Mais il est…

Blanc ? Ouai. Il est blanc. T'es qui toi pour parler ?

Snocone avait des cheveus comme n'importe quel gars noir sauf qu'ils étaient blanc et sa peau aussi – blanche comme du lait.

Après la pizza on s'est batus encore. Jello a vaincu Snocone et Xray et ensuite j'ai batu Snocone qui était rapide et rusé mais pas vraimant ford. Sans ses lunetes de soleil j'ai pu voir que ses yeus était roses. Bizare non ? Jello a ri des 2 blanc dans le ring. Il voulait se batre encore avec moi et j'ai dis OK. J'ai esayé le coup de pied de coté de Morgan quant il ma foncé dessu mais j'ai raté mon coup et il ma foutu par terre. Il ma sauté dessu et a esayé de m'imobiliser mais j'ai levé la main a temps pour le bloquer. J'ai remué mes doits sur ses cotes pour esayer d'agriper quelque chose et sa bouche s'est ouverte et il s'est mit a rirre et il a roulé loin de moi.

Pas juste! il a dit. Morgan il me chatouile.

Morgan était pas capable de sifler dans son siflet telment il riait.

Arme secrète! a crié Jaden. Jello est chatouileus!

Je ne pouvais pas dire si Jello était en colerre ou non.

C'est pas fini! il a dit.

Tous les autres riaient mais on s'est arètés quant la police est entrée.

Ils ont dit qu'ils avaient cognés mais qu'on n'avaient pas répondus et c'est pour ça qu'ils avaient défoncés la porte. Ils sont entrés dans le jym avec leurs flingues dans les mains – 2 3 6 8 ils étaient. J'ai conté. 8 flics dans le jym dans leurs uniformes bleu. Un d'eus avait 1 papier dans la main et a dit qu'ils devaient fouiler le jym. Après ils nous ont fait sortir par la porte défoncée et nous ont mis dans des voitures de police. Bizare non? Un des policiers ma prit à l'écart.

Qu'est ce tu fous ici? il ma demandé ce qui était étrange parce que je me demandais la mème chose a leur sujet.

T'es diférent il a dit.

DIFÉRENT

C'EST COMME ÇA QUE M'APELAIT Mike en 4 anné quant je n'étais pas capable d'atacher mes souliers.

Tout le monde dans la classe est capable d'atacher ses souliers il me disait. Et marcher a l'école. Et doner l'heure. Toi t'es pas capable.

Je marche a l'école tous les jours je lui disais.

Avec ton frère.

Je peus le faire tout seul.

Non tu peus pas. T'es diféren.

Alord on a parié la dessu. Il m'a dit que j'allais me perdre tout seul et je lui ai dis ah ouai? Alord on a fait 1 pari. Le jour après j'ai demandé a Spencer de partir sans moi. J'ai atendu et je suis sortis par la porte de la maison tout seul. Je n'étais pas inquiet. Je conaisais mon chemin. Je marchais beaucoud. Papa fesait la lesive et maman était partit et moi je marchais. Je conaisais les rues et les magasins et les places pour se garer et les endroits pour se cacher au tour de la maison. J'étais bon pour trouver les choses. J'avais trouvé l'école avan et j'allais la trouver encore. J'ai marché le long de notre rue jusqua la maison d'argent et après a travert le parc avec la glisoire brisée et dans la ruelle ou les clochars dorment. Je décrivais mon chemin a aute voie en marchant. Après tout droit et a gauche et voila l'école devans moi. Facile. Je suis allé voir Mike tout de suite et je lui ais dit me voila. Me voila me voila me voila. Tout le monde au tour riaient et me pointaient du doit. Je ne comprenais pas pourquoi jusqua ce que mosieur Ogden s'est pointé et ma demandé ou était mon pantallon.

J'avais été telment xcité par le pari que j'avais oublié d'enlevé mon pyjama. C'était drole parce qu'il était jaune avec des rayures et c'est clair que j'aurais du m'en rendre conte.

Mes pantallons sont a la maison j'ai dis.

Est ce que tu vois quelqu'un abillé comme toi? a demandé mosieur Ogden. Ou est ce qu'il n'y a que toi?

Il a sourri en regardant au tour pour que tout le monde puisse rirre. C'était ce genre de prof.

Je suis le seul je lui ais dis.

Il a fallu que je retourne a la maison pour me changer. Le pari était pour 1 paquet de gomme mais Mike ne ma jamai payé.

C'est a ça que je pensais pendans qu'on étaient alignés le long du mur du jym et qu'un policier m'avait prit a part pour me demander ce que je fesais la.

T'es diférent il ma dit. T'as rien a faire ici.

Après 1 femme policier ma remit dans la queue sur le mur.

Ne sois pas aveugle Steve elle a dit. Il est ici. Il fait partit des Possy. Il est a sa plasse. Pas vrai petit blanc?

Elle était plus grande que moi. Elle a mit sa main sous mon menton et ma levé la tète.

J'ai dis salut. Elle a fait 1 face de ton – comme lorsque papa me fait des sandwichs au ton et qu'il sait que je n'aime pas ça mais le fait quant mème.

Vous ètes tous les mèmes elle a dit avan de se retourner.

Tous les mèmes j'ai pensé. Tous les mèmes. Ha.

Xray était assis avec moi a l'arrierre de la voiture de police. Qu'est ce qui se passe maintenent? je lui ais demandé. Ou est ce qu'on va?

Comissariat qu'est ce tu penses?

Le chaufeur a alumé la sirène et a doublé toutes les voitures. Xray a mit sa tète dans ses mains et a commencé a gémir. Pauvre vieu Xray.

C'est telment cool ce qui se passe j'ai dis.

Le policier sur le siège avan s'est retourné.

T'as l'air joyeus il ma dit. T'as vraiment envie d'aller au comissariat?

Pourquoi pas? je lui ai dis.

On a tournés. La sirène écartait les autres voitures de notre route. Paneau «Stop». Paneau «Stop». On s'arètaient pas vraimant devans ces paneaus – on ralentisaient 1 peu puis on redevenaient rapide. Xray gémisait.

Hé c'est toi le gars? ma demandé le flic sur le siège avan. Phil est ce que c'est le gars qu'on doit surveiler? Tu t'apeles Jackson.

C'est qui Jackson? j'ai demandé.

Un ami a nous – le gars que notre sergen nous a dit de trouver.

Ta gueule Tony a dit le chaufeur.

J'ai finalement recu 1 texto de maman. **T'es ou?**

J'ai répondu **Dans 1 voiture de police.**

Je pensais que ça la rendrait inquiète mais pas du tout. **Très drole.**

Je sais jamai avec maman.

Ils m'ont mis dans 1 pièce tout seul et ont refermés la porte. Les lumières siflaient et clignotaient. Il ne se passait rien. Je me suis assi sur une chaise. J'ai texté Jaden **T'es ou?**

Un gros policier est arivé avec 1 magnéto-phone. Il ma demandé de dire mon nom et de doner mon adrese dans le magnétophone. Son nom était Sergen Don. Il remplisait toute sa chaise. Pas moi. J'arètais pas de glisser et de me redressé.

Don ma demandé si j'étais dans les Possy?
J'ai dis oui. Après il ma demandé de lui parler du
deal qu'on préparaient. Il savait tout a ce sujet.

Vous et les Angels de Mimico c'est ça?

Les Angels sont les mauvais garsons je lui
ais dis. Ils font des tags sur notre territoirre.

Mais vous avez 1 deal avec eus. Vous travai-
lez ensemble. Vous et les Angels et la mafia de
Buffalo.

Ah ouai Buffalo j'ai dis.

On sait beaucoud de choses il ma dit. Mais
il faut qu'on en aprene plus si on veut stoper le
deal. Parle maintenent et ce sera mieu pour toi
tout a l'heure. Tu veus pas aller en prison pas vrai?
Alord aide nous. Parle. Tu vas me parler?

Ouai j'ai dis.

Quant va se passer le deal? il ma
demandé.

Je sais pas.

Dimanche? Lundi?

Je sais pas.

Alord qu'est ce que vous dealez?

Je savais pas ce qu'il voulait dire alord je n'ai
pas répondu.

Allez parle. Quel genre de produit?

Je ne comprenais pas pourquoi il me demandait ça.

Demandez a Cobra je lui ais dis. Il sait. Ou Jello ou Snocone j'ai dis. Ne demandez pas a Xray il gémit tout le temps. Mais Cobra sait tout c'est sur.

Sergen Don a hoché la tète. Son menton avancait et reculait tout le temps.

Parle nous du deal il ma dit. Laisse nous t'aider. Tu ne penses pas que c'est vrai mais on est tes amis Bunny. Ouai. Tu penses que Cobra s'intérese a toi? il ma dit. Tu penses que les Possy s'intéresent a toi. Ils se foutent de toi. Si quelque chose tourne pas rond ils vont te balancer. Ils vont sauver leurs fesses et te laisser tombé. Ils se foutent de toi.

C'est pas vrai je lui ais dis.

Il y avait plein de choses que je ne savais pas mais ça je le savais. Jaden s'intéresait a moi. Les autre aussi – peut ètre pas autant que Jaden mais ils s'intéresaient quant mème a moi. Cobra avait posé sa main sur mon épaule et avait dit voici Bunny. J'apartenais aux Possy. Ils s'intéresaient a moi et moi a eus.

Pourquoi je savais ça? Pourquoi j'en étais sur? Je ne savais pas mais j'en étais sur.

Ils s'intéresent a moi je lui ais dis.

C'est quant le deal? il ma demandé encore.

Je sais pas.

Mais il y a 1 deal. Tu viens de me le dire. Tu as dis que tu ne savais pas quant.

Je suis pas très brilant je lui ais répondu.

Deviens le il ma dit. C'est brilant de savoir qui sont tes amis.

Je glisais encore sur ma chaise. Je me suis redressé.

Don a fermé le magnétophone et s'est levé pour s'en aller. Avan de partir il s'est penché vers moi et ma dit qu'il devait me demander quelque chose. Pas d'enregistrement il a dit. Je veus juste savoir.

Quoi?

Il s'est penché encore plus vers moi et ma parlé doucement.

Je sais coment fonxione les bandes. Qu'est ce que tu fais avec les 15 Bunny? T'es la seule face blanche du groupe.

La seule?

Je sais quant je suis dans 1 pièce remplie de persones blanches il a dit. Je regarde au tour de moi et je vois qu'il n'y a personne comme moi et je me sens diférent. Même si ce sont mes amis je me sens quant même diférent. Tu te sens pas diférent?

Don est partit et 1 autre gars est arivé. Il ne ma pas dit son nom. Il avait les cheveus foncés et de petits yeus et le menton bleu. Je l'ai regardé. Bleu. Il a posé les mèmes questions que Don et comme je ne conaisais toujour pas les réponces il s'est mit en colerre. Pas la traditionel colerre Merde Bunny. Sa bouche est devenue grande ouverte et il avait des bosses dans le visage.

Tu MENS! il a crié.

Non…

Je SAIS quel genre de petit punk tu es! Tu PENSES que tu peus me faire PEUR avec ça il a dit en pointant mon bras. Je n'ai PAS peur! Je suis DÉGOUTÉ! il a dit. Cette chandèle me done envi de vomir. T'es une PUTIN de petite MERDE mon gars. PARLE moi ou je vais te faire très MAL! JE vais te foutre en prison et tu n'en sortiras JAMAI! Tu pourais mème y aller maintenent!

Je suis abitué aux cris mais la c'était vraimant super ford et bizare. La face de l'homme dégoutait de sueur. Il bougait la bouche comme si il mastiquait et puis il a craché par terre. Il s'est penché très près de moi.

DIS MOI! il a hurlé.

Quoi?

Ou est le stock. Quant le deal va se faire. C'est 1 deal a 3 c'est ça? Des tuyaus pour du cash ou pour du hash? A qui vous parlez a Buffalo? QUI?

Je hochais la tète. Je n'avais aucune idée de quoi il parlait. C'est comme si il m'avait parlé chinoix ou quelque chose comme ça. Ou klingon ou qu'il aboyait.

Vous ètes bleu je lui ais dis.

QUOI?

Comme 1 chtroumpf. Votre visage est bleu. Juste la.

J'ai pointé son menton. J'ai vu a ce momant la que son menton était mal rasé. C'est pour ça qu'il était bleu. Il a essayé de me fraper la main mais je l'ai retiré et il est tombé. La porte s'est ouverte et 1 femme policier est aparue.

L'avocad est la elle a dit.

Derrierre elle se trouvait 1 gars avec un costume et un ataché caisse. Il est entré en la poussant un peu et ma regardé et aussi le policier en colerre qui était remit sur pieds.

Qu'est ce qui se passe ici? a demandé l'avocad. Vous intérogez ce garson? Vous ne devriez pas. Pourquoi vous le cachez? Je l'ai cherché partout dans le comissariat de police. Vous faites quoi? Vous savez quoi? Ce garson est mineur. Regardez le. Vous n'avez aucun droit sur lui. Je vais remplir des papiers contre vous.

Je n'ai pas compris grand chose.

Le sergen en colerre est sorti de la pièce avec l'avocad qui lui parlait dans le dos dans le coulloir. Après l'avocad est revenu dans la pièce et a continué a parler.

Est ce que t'as dit quelque chose a ce flic? il ma demandé. As tu avoué quelque chose? Est ce que t'as quelque chose? As tu signé quelque chose? Si oui dis le moi maintenent. Je suis ton avocad. Je peus tout aranger.

J'ai éclaté de rirre.

T'es comme le gars a la télé je lui ais dis.

Quoi?

Le gars qui vend des achoirs. Ils font plein de choses et sont jamai enuyants et ils sont a vous pour 2 paiemens faciles et apelez tout de suite j'ai dis.

Il n'a rien comprit mais il parlait xactemen comme le gars des achoirs – telment vite qu'on comprenait rien des mots séparément – ils sortaient en groupe.

Son nom était Julius et c'était l'oncle de Jaden mais j'ai apris ça le lendemain seulement. Il était l'avocad des Possy. Il a fait sortir tout le monde du comissariat et maintenent c'était mon tour.

Un drole de gars. Quant j'ai commencé a parler de ce qui se passait il a hoché la tète. Ne me dis rien il ma répété encore et encore. Si t'as fais quelque chose je veus pas le savoir. Ne me dis rien a propos des plans des Angels et des deals et des flingues ou de quoi que ce soit. Maintenent on se tire il a dit.

Des flingues? j'ai répété.

Je ne sais rien a propos de flingues il a dit. Je ne sais pas de quoi tu parles.

Ou est Jaden? j'ai demandé. Ou est tout le monde?

Je sais pas il a dit. Ils étaient ici et maintenent ils y sont plus. Et je sais pas ce qu'ils vont faire. Et si tu le sais tu ne me le dis pas!

On a traversés le coulloir a toute alure. Les policiers étaient partout mais on passaient sans problème. On a facilement franchi la porte d'entré du comissariat de police. Je ne conaisais aucun imeuble et aucune rue. Il y avait 1 statu sur le trotoir – un enfan qui tirait une brouète avec un truc triangulerre dessu. Il avait l'air fatigué et je pouvais comprendre pourquoi – le truc triangulerre était plus grand que lui.

Je n'ai pas bougé tout de suite. Je savais pas quoi faire ni ou aller.

L'arèt du tramway est juste la sur le coin il ma dit. Salut.

Il ma sèré la main et est retourné à l'intérieur.

Je l'ai plus jamai revu.

J'AI ENVOYÉ 1 NOUVAU TEXTO A JADEN

ET J'AI ATENDU. Rien. Je ne conaisais pas le numéro d'un autre Possy alord j'ai pris le tramway vers la maison. Je ne savais pas ou aller d'autre. J'ai recu 1 texto de Spencer – **presque fini jackfish** Peu importe ce que ça voulait dire. Je ne savais pas ce qu'était un jackfish. Puis **ville fantome demain matin** J'ai relu mais je ne comprenais pas la partie «jackfish». À moins que jackfish était 1 endroit. Peut ètre que c'était ça. Peut ètre que c'était la ville fantome. Je lui ais renvoyé 1 texto mais ça n'a pas marché.

Erreur a dit mon téléphone. J'ai esayé encore. Et encore. *Erreur. Erreur.* J'ai levé les yeus quant le chaufeur a doné le nom d'une rue que je ne conaisais pas.

Dans le tramway tout avait l'air normal. Des pubs pour des films et des pilules et des produits pour bébés et une corde d'arèt au plafond. Mais dehor c'était diférent. Je ne reconaisais pas le nom des rues ou les magasins. On est passés devans 1 restorant et 1 église et 1 parc avec une maison de vert au milieu. Bizare non ? Une maison de vert. Une minute plus tard on est arivés au bout de la rue et le tramway a fait un virage comme une voiture. Je ne savais pas qu'ils pouvaient faire ça mais celui la oui il avait tourné a droite et poursuivait sa route. Quoi faire ? Quoi faire ? Papa disait que quant on est perdus il faut rester ou on est et quelqu'un finira par nous trouver. Mais maintenent quoi ? Si je restais a ma place je continuerais d'avancer. C'était pas bon non ?

J'ai apelé le celulaire de maman et a la maison. J'ai entendu les voies qui disaient de laisser notre nom et j'ai racroché. Je sais jamai quoi dire aux voies. Je ne voulais pas leur dire que j'étais perdu au secour. Ça sonerait comme 1 bébé.

J'ai conté les parcomètres. Je ne savais pas quoi faire d'autre. Il y en avait des deux cotés de la rue. 20 22 24.

On a tourné encore. A gauche. Quoi faire quoi faire? Plus beaucoud de restorants maintenent. Les magasins étaient fermés. Certins lampadaires étaient alumés d'autres non. La fenètre était ouverte. Je pouvais entendre le son des roues de métal sur les rails de métal. Comme 1 voie qui chantait aussi.

Plus de parcomètres. Je suis allé voir le chaufeur et je lui ais demandé ou on allaient. Il ma dit 1 nom mais je ne savais pas ou c'était. J'ai demandé si c'était près de Tecumsee et il a fait non de la tète. Tu t'es trompé de tramway il ma dit – Tecumsee est derrierre nous. Le tramway chantait sur les rails.

Laissez moi sortir je lui ais dis. O merde o merde. Je m'éloignais de la maison. Chaque seconde j'étais de plus en plus loin. Laissez moi sortir! j'ai dis encore. Laissez moi sortir! Laissez moi sortir!

J'étais telement en colerre que le chaufeur s'est arèté entre 2 arèts et a ouvert la porte. J'ai sauté dans la rue et j'ai faili me faire écraser par une petite voiture verte. Le chaufeur avait la bouche grande ouverte.

Ta gueule! je lui ais dis. Ta gueule! Ta gueule! Ta gueule!

J'ai doné 1 coup de point sur le capeau de la voiture et je suis partis lentement. Les apartmens de la rue étaient laid et défoncé et persone semblait se soucier de ce qu'il y avait à l'intérieur. Comme des boites au fond d'une armoire. Des fenètres avec des cadres. Des vètemens sur des cordes a linge.

Il était 21h10 sur mon celulaire. Je respirais mieu maintenent que je ne m'en allais pas dans la mauvaise direxion. J'étais arèté et quelqu'un allait me trouver. Et quelqu'un ma trouvé – 1 vieu clochar. Il ne pouvait pas m'aider parce que lui non plus ne savait pas ou il était. Il a pointé le ciel et après la rue et il a hoché la tète. Alord je lui ais doné 1 pièce et il est partit en dégagant 1 odeur d'ordure. La persone suivante c'était 1 fille avec 1 bébé. Je lui ais demandé ou j'étais et elle a rit et est partit. Je veus dire ou est ce que je suis? je lui ais crié. Elle est entré dans 1 des boites en poussant sa poussete.

1 tramway est passé. C'était bizare de le voir tourner le coin et se diriger vers moi. Sur le devans c'était écrit «PRINCIPAL». J'ai apelé a la maison encore mais c'était encore les voies. J'ai comencé a sauter sur place. Je me sentais devenir en colerre encore. Comme des bules qui remontent a la surface. C'est comme ça que je me sentais a l'intérieur. Mon téléphone disait 21h11. 21h12. 21h12 encore. Je parlais a voie aute. Je fais ça des foies. Allez je disais. Allez Allez.

Mon téléphone a soné. Maman je me suis dit. Mais c'était Jaden.

Salut! j'ai crié.

Bunny?

T'as eu mon texto?

Ouai il a dit. T'es ou?

Je sais pas!

On se promènent il a dit. Le jym est interdit d'axè. Cobra est a la maison et on est tous dans la voiture de Jello. Tu devrais ètre avec nous. Tu veus venir?

Ouai! j'ai dis mais va falloir que vous me trouviez.

Jaden ma dit pas de problème. Il ma demandé ce que je voyais au tour de moi et j'ai parlé du tramway marqué «PRINCIPAL» et les apartmens en boite et il ma dit la mème chose que papa – reste la et on va te trouver.

J'ai regardé le magasin de l'autre coté de la rue. Il y avait du stock usagé dans la vitrine – 1 truc pour mettre des vètemens dedans avec des tiroirs et 1 miroir au dessu et 1 trompete qui pendait sur 1 fil et des piles de DVD. Il y avait des bareaus dans la vitrine. Le soleil était couché mais il y avait encore de la lumière dans le ciel. Je pouvais entendre des portes de voiture et de la musique. Une sirène aussi. Des trucs de ville. Je pouvais entendre les mèmes choses chez moi.

J'ai pensé à ça. Je voulais pas ètre ici mais est ce que j'avais envi de rentrer a la maison? Je voulais et je ne voulais pas en mème temps. Qu'est ce que je ferais a la maison? C'était quoi la maison? Ma famile? Mes trucs?

Euh.

Je n'avais pas remarqué les 2 gars avan qu'ils se pointent devans moi et me demandent mes souliers.

Quoi? j'ai dis.

Tes souliers. Enlève les ma dit le plus gros des 2 avec son cigare et 1 chapau.

Pourquoi?

Parce que c'est des bons souliers. Et t'as rien a foutre ici. Enlève les.

Il envoyait de la fumé en l'air – comme 1 cheminé. L'autre gars était derrierre moi maintenent. Il bougait sournoisement et de coté.

On étaient debouts en dessou d'un lampadaire et il s'est alumé a ce momant la.

J'ai déja vu ça avan a dit le gars au cigare.

Il regardait mon bras.

Un gars dans une bande a Milhaven avait ce 15 sur sa poitrine. Je pensais qu'il était totale-

116

ment cool mais c'était une merde. T'as déja vu ce 15 avan Dixon?

L'autre gars chuchotait derrierre moi. Je ne savais pas ce qu'il disait. Quelque chose de mauvais d'après la manière dont il parlait. J'essayais de regarder les 2 gars en même temps. Dixon a sorti 1 long baton de sa poche et s'est frapé la main avec. Pas 1 baton comme une branche pluto une sorte de baton dépliable. Le gros gars a balancé son cigare et a refermé ses points. Ces deux la voulaient vraimant mes souliers. J'ai pensé leur xpliquer qu'ils étaient un cadeau d'aniversère mais je savais qu'ils en auraient rien a foutre. Je me demandais a quel point le baton allait me faire mal. Probablement beaucoud.

Quel bordel. C'était emerdant d'ètre perdu mais ça c'était pire. Les choses peuvent toujour devenir pires. Mais elles peuvent aussi s'améliorer et c'est xactement ce qui est arivé. Une voiture s'est arèté juste a coté de nous – 1 viele bagnolle blanche avec le toit noir a peu près longue comme 1 paté de maison. Jaden était penché a la fenètre. Hé Bunny il a dit et j'ai dis Hé moi aussi. Avan que la bagnolle soit arètée il était déja sur le trotoir et Xray aussi. Toutes les portes se sont ouvertes. La voiture grondait comme si elle allait cracher. Jello est sorti de la place du chaufeur. En mème temps Snocone est sorti de la place du passagé alord ils étaient maintenent 4 avec moi sur le trotoir. Et les autre gars sont partis. Ils couraient a toute alure sur le trotoir vers le prochin paté de maison.

Qu'est ce qui s'est passé? a dit Snocone.

Mes souliers j'ai dis.

Hein?

Jello était déja dans la voiture. Jaden secouait la tète. Hé Bunny on te laisse tout seul pour 1 minute et tu te fous dans la merde.

Je suis monté a l'arierre avec Jaden et Xray. Jello a fait demi tour et on est partis.

Si ce flic de Don avait été la je lui aurais dis je te l'avais dis. Ils s'intéresent a moi.

ON A ROULÉS

DANS DES ENDROITS que je conaisais et d'autres pas. On a descendus le long de la rivierre Don jusqu'au lac et a travert la ville sur la voix rapide ou on pouvaient voir des nids de poule et des clochars et le Centre national d'xposition et après on est remontés le long de rues que je conaisais avec des maisons et des apartemens et des bagnolles garées et des ruelles sombres et des arbres. Les rails des tramways nous fesaient rebondir. La musique jouait. Les imeubles semblaient se pencher les uns vers les autres. Des odeurs de poubèles et de nuits d'été. Des gens par tout – beaucoud de gens. Jello ralentissait chaque foie qu'on croisaient 1 parc et on regardaient tous par les fenètres. Je ne savais pas ce que j'étais censé voir mais je regardais quant mème.

1 foie on est entrés dans le stationement d'un McDonald's et on a roulés doucement a coté d'une voiture avec des gars assis dessu et on les a fixés. Notre musique était forte et celle a eus aussi. On a continué de rouler en les fixant.

Raders? a demandé Jaden.

Raders a dit Snocone.

J'aïs ces gars la a dit Xray.

Jello a recu 1 coup de fil qui l'a fait blasfémer. Il a écouté et il fait ouai de la tète et il a blasfémé encore. Ouai je vais leur dire il a dit. Il a lancé le téléphone sur le siège a coté de lui.

C'était Cobra il a dit. Le deal est mort.

Il a monté le volume de la radio. On étaient sur 1 route sinueuse avec de grosses maisons.

Jaden hochait de la tète alord j'ai fais pareil. Je ne voulais pas qu'il pense que je m'en foutais.

C'est des mauvaises nouvèles pas vrai? j'ai chuchoté.

Ouai.

La bagnolle a dérapé dans un virage. Jaden s'est buté contre moi.

Le deal c'était pour payer le jym a dit Jaden. On est en retart sur le loyer. Si on fait pas le deal on touche pas l'argent. Ils vont nous foutre en dehors du jym. Morgan n'a pas d'endroit pour vivre. On n'aura plus d'endroit pour trainer. Sans le jym il a nul part pour s'entrainer.

C'est domage j'ai dis.

Jello fixait la route. Il y avait des dos d'ane et la voiture fesait *bang bang* quant on passait dessu. Le feu est passé de l'orange au rouge. On n'a pas ralentis. *Bang.*

Hé a dit Snocone dans le siège du passagé. Hé Jello.

Bang.

Le feu était rouge. Jello tenait le volans séré dans ses mains. Snocone lui a hurlé de s'arèter. Jaden a posé sa main sur mon bras. Je contais ma respirasion a nouvau. Je pouvais sentir l'air entrer 2 3 et sortir 2 3. Il y avait une fissure dans le pare brise. *Zig zag zig.* A la dernière minute Jello a mit les frains mais on ne s'est pas arèter. Il était trop tard et on a dérapés et poursuivis notre course. On étaient devans le feu maintenent et des voitures passaient devans nous. Jello a doné 1 coup de volant et notre bagnolle a fait 1 demi tour ce qui fesait qu'on étaient en sens inverse d'ou on venaient. Et la on s'est arètés.

Jello s'est retourné sur son siège.

Vos gueules! il a hurlé. Tout le monde se la ferme OK!

On est repartis d'ou on venaient. Jaden hochait de la tète. J'esayais de penser ce que ça me rapelait.

Ils parlaient de choses que je ne comprenais pas. De points et de chifres qui ne me disaient rien. Ou on pouraient trouver du fric. Qui nous achèterait nos trucs. Combien de temps on avaient. Pas beaucoud. C'est ce que Jello répétait. Faut bouger tout de suite. On a besoin du fric pour la semaine prochaine. C'est la que le loyer est du. Faut qu'on trouve 1 deal. On a des trucs a vendre – faut qu'on les vendent. Faut qu'on trouvent quelqu'un a qui les vendre. Si vous pensez pas comme ça vous pouvez sortir de la bagnolle tout de suite – OK?

Persone a rien dit pendans 1 momant. Ensuite Xray a dit qu'il ne fesait pas confiance aux Angels.

Ouai j'ai dis.

Je fais pas confiance aux Raders non plus a dit Snocone. Ni aux Sonix.

Avec qui on va faire le deal alord? a demandé Jello.

Domage que Scratch est a Torrents a dit Jaden. Quant est ce qu'il revient?

On était près de Hi Park. Il y avait des arbres a notre gauche et leurs branches étaient pleines de noirceur. Les étoiles au dessu de nous étaient comme du sel sur des frites. Glauque. Efrayant. Un peu triste.

Torrents? j'ai chuchoté a Jaden. Tu veus dire ou se trouve mon frère? Il est pas la en ce momant.

Le feu a changé. On a démaré comme 1 bale et je pensais a la foie ou j'étais dans la voiture avec papa et maman en colerre. Leurs sentimens – ceus de la colerre – se répandaient sur le siège arrierre. Je demandais a maman pouquoi elle se disputait avec papa et elle ma répondue qu'ils ne se disputaient jamai – que c'était simplemen 1 discusion libre et animée. Spencer était assis a coté de moi et lisant une BD.

Une autre foie on étaient en route vers la maison de campagne et maman avait faili fraper 1 écureuil et papa lui avait demandé de ralentir et elle avait dit que si il n'aimait pas sa fasson de conduire il pouvait toujour descendre de l'auto. Il avait dit pourquoi pas et elle lui avait dit de faire atention. Ne me provoque pas Jerry O'Toole elle avait dit.

Ça ressemblait a ça en ce momant – Snocone se metait en colerre contre la fasson de conduire de Jello et Jello nous disait qu'on pouvait toujour sortir de la bagnolle.

Ils parlaient de moi. Jaden disait que j'avais du aprendre a me batre quant j'étais a l'intérieur et Jello disait que j'étais pas mal bon mais pas aussi bon que lui.

Son enkre est fraiche a dit Snocone.

Depuis combien de temps il est un 15? Je veus le savoir a dit Xray.

Hé il est juste la dans la voiture avec nous – pourquoi tu lui demande pas toi mème? a répondu Jaden.

On passaient a coté d'un hotel. Le paneau était alumé mais il manquait des lettres. Park quelque chose.

Alord qu'est ce tu réponds petit blanc? a dit Xray. Scratch et Jello et moi on est des 15 depuis long temps – et on va le rester long temps. Toi?

Silence. Ils atendaient que je parle.

Je serai un 15 pendans 1 an j'ai dis. Aprè je serai un 16.

Il y a eu un petit momant de silence et après ils ont tous éclaté de rirre.

Qu'est ce tu voulais dire a propos de ton frère? ma demandé Jaden.

Hein?

Tu as dis qu'il n'était plus a Torrents. Qu'est ce tu veus dire?

Il est plus a Torrents j'ai dis. Il est en route vers un endroit qui s'apele Jackfish.

Jello s'est arèté sur le bord de la route. Sur le paneau s'était marqué interdit de stationer mais il s'est arèté quant mème et s'est retourné sur son siège. Snocone aussi – les 2 me fixaient depuis l'avan de la voiture.

Je pense que c'est 1 endroit j'ai dit.

J'ai montré les textos a propos de la ville fantome. Snocone a trouvé Jackfish sur 1 carte sur son celulaire et Jello a apelé Cobra et ils ont parlé long temps. Xray et Snocone disaient est ce qu'on peut croire ce gars la et Jaden sourriait en me disant super Bunny. Je ne comprenais rien a ce qui se passait mais je sourriais parce qu'il avait aimé quelque chose que j'avais fais.

Je me demandais si Spencer savais que tous ces gars pensaient a lui.

Maman a levé les yeus de son livre. Tu rentres tard elle ma dit. Qu'est ce tu fesais?

On a roulés a fond de train sur des dos d'ane je lui ais répondu.

Elle a hoché la tète. Encore a faire des blagues Bunny. J'imagine que c'était une voiture de police?

Non ça c'était avan je lui ais dis.

Elle ma regardé en froncant les sourcils.

Tu n'étais pas en train de boire de la bière hein ? Tu sais ce qu'on t'a dit.

Non.

Je suis monté a l'étage pour foutre de la crème visqueuse sur mon tatou. Je l'avais depuis 2 jours et il fesait déja partit de moi.

J'AI RÈVÉ

QUE JE COURAIS SUR LA ROUTE de la
maison de campagne. La verdure de l'été était derrierre moi et la route devans et je pouvais entendre
mon soufle. Inspirasion 1 et xpirasion 2 et inspirasion 1 et xpirasion 2. J'étais seul et la j'ai entendus des pas derrierre moi et Spencer et maman et
papa marchaient ensembles. Spencer regardait
1 film sur son celulaire. Papa avait son bandana. Je
leur ai criés d'arèter mais ils ne m'écoutaient pas.

Après j'ai entendus d'autres pas et Ed de ma
classe ma dépassé et grand-père courait avec lui et il
pointait le tatou avec les flèches de Ed et ils se sont
enfuis et je respirais. Inspirasion et xpirasion et mon
bras me fesait mal. Rien de tout ça me semblait bizare dans le rève mème la partie avec grand-père.

127

Mais je me sentais mal jusqua ce que les Possy viennent courir avec moi – Xray gémisait et Jello avait son ventre qui sortait de son pantaloon et Snocone se retournait pour me regarder comme il l'avait fait dans la voiture. Cobra metait son bras sur mon épaule et Jaden me fesait 1 grand sourirre. Ils m'ont dit salut et on a courus ensembles et je me sentais bien sauf que mon bras me fesait mal et mon soufle était très bruyant. C'était comme si je souflais mon propre nom. Inspirasion 1 et xpirasion 1. Bun ny Bun ny. Inspirasion 1 et xpirasion 1 et inspirasion 1 et xpirasion 2.

Bun ny!

La voie de maman. Je me suis réveilé. Elle était penchée sur moi et chuchotait dans mon oreile.

Bun ny!

Ouai.

Chut elle a dit. Il y a quelqu'un en bas.

Je me suis assi dans mon lit. Maman gardait sa bouche près de mon oreile. Ou es ton celulaire? elle ma demandé. Je veus apeler la police mais mon téléphone est dans la cuisine.

Je n'ai pas compris tout de suite. Qui est en bas? C'est Spencer?

Non. Non. Chuuuut. Écoute Bunny je veus juste ton celulaire.

C'est papa?

Non.

Est ce que...

Chuuuut!

Elle chuchotait mais il y avait ce Merde Bunny dans le son de sa voie.

J'ai entendu 1 bruit venant d'en bas. Jaden ou 1 autre gars des Possy. Je sais que c'est stupide mais c'est ce que j'ai pensé. Ils étaient dans mon rève et maintenent je pensais qu'ils étaient dans ma maison. Je suis descendu et j'ai alumé la lumière et il y avait ce gars mais c'était pas un de mes amis. Il avait 1 bonet de skieur sur la tète avec des trous pour les yeus alord je pouvais pas voir son visage. Et il avait 1 couteau dans les mains.

Ou est ton fric il ma dit. Je veus ton fric.

Je reconu le couteau. Il était a nous. C'est pour ça que je n'avais pas peur. C'est dur d'avoir peur de ses propres choses. Je me rapelais de ce couteau depuis toujour. Dans l'évier. Dans le tiroir. Dans les mains de papa. Il fesait partit de ma maison comme le divan ou la télécomande ou les clés de la bagnolle. Auriez vous peur d'1 gars qui agite vos clés de bagnolle?

Sortez! maman a crié. Elle était dans les escaliés. J'ai apelé la police elle a hurlé. Ils arivent. Foutez le camp de ma maison!

Je pensais que ton téléphone était dans la cuisine j'ai dis.

La ferme Bunny.

Elle tremblait. Elle avait peur. Maman avait peur.

J'avais entendu Morgan dire que pour se batre contre 1 couteau faut doner des coups de pied. J'étais près. Mais j'ai pas eu besoin.

T'es un 15 le gars ma dit.

Ouai.

Il a reculé d'un pas. O il a dit et après 1 autre plus petit – comme o.

Il a laissé tombé son couteau et le sac de poubèle qu'il tenait dans ses mains et il a couru a coté de moi et il s'est enfui par la porte d'en arrierre. C'était tout. Je l'ai plus jamai revu. Je sais mème pas pourquoi je parle de ça ici – probablement a cauze du coup de fil de maman le lendemain.

Elle était tout en bas de l'escalié et elle ma prit dans ses bras. Elle tremblait encore. C'est OK je lui ais dit. C'est OK.

Il a dit que t'étais un 15 elle ma dit. C'est a cauze de ton tatou?

Ouai. Je lui ai fais peur.

Au moins il y a quelque chose de bon avec ce tatou elle a dit.

On a vérifié en bas de l'escalié. La fenètre de la porte en arrierre était cassé. Je suis allé sur le portique et j'ai regardé par tout au tour. C'était pas encore le matin mais le ciel a gauche était diférent. La nuit était flou comme si quelqu'un esayait de l'efacer. La lune était une mince pointe qui flotait dans l'ombre des arbres. J'entendais l'autoroute au loin. J'ai frisoné et je suis retourné dans la maison.

MA MAIN
ME FAIT MAL

ALORD JE VAIS AXÉLÉRÉ. Le téléphone de maman était dans le sac que le gars avait laissé tomber et il s'est brisé alord elle s'est servi de mon téléphone pour apeler 1 gars pour qu'il viene réparer la porte d'en arrierre. Il est venu avec un cofre a outis et 1 sourirre. Désolé d'interompre votre matin il a dit avan d'aller travailer.

Papa dit que la télé c'est 1 piège et 1 perte de temps mais maman l'alume des qu'il n'est pas la. La femme des actualités avait des gros cheveus et un gros micro. Elle a dit quelque chose a propos des bandis américains et les rues de Tronto et les flingues et la drogue. Elle a hoché de la tète pour nous montrer a quel point c'était 1 mauvaise chose. Ici Lisa Cook en direct du distric 52 elle a dit. Quant la caméra s'est reculé il y avait la statu de l'enfan qui tirait le vagon.

Coment ça s'apèle ça? j'ai demandé.

Quoi?

La chose sur le vagon. Le triangle la. C'est quoi?

Une piramide elle a dit.

O.

Le gars avait fini de réparer la porte de derrierre. Il a prit le chèque de maman avec 1 sourirre. Passez 1 bone journé il a dit. Il est partit en fermant la porte derrierre lui. Quel gars! Il est venu et il a fait son bouleau. Des mains fortes avec des dents blanches. A quoi resemblerait le monde si tout le monde étaient comme lui? Il serait peut ètre parfait.

Maman avait des trucs a faire au centre ville. Elle ma demandé si j'avais envi de l'acompagner mais j'avais pas envi parce que je rencontrais Jaden.

Dans ce cas je te veus près de la maison. Après ce qui s'est passé hier soir je veus savoir ou tu es.

O.

Tu le feras pour moi Bunny ? Rester a l'intérieur ou tout près.

J'ai pris 1 profonde inspirasion et j'ai dit ouai.

Mais je ne le pensais pas.

La femme dans le tramway arètait pas de parler. Elle avait un de ces celulaires a l'oreile avec des fils qui pendaient et elle parlait et parlait encore d'une fête ou elle avait été la veile ou quelqu'un a fait cette chose halucinante qu'elle ne pouvait pas croire et a quel point elle était occupé aujourdui et tout ce temps la elle agitait ses bras dans les airs. Sa voie sonait comme des ciseaus. Les autres gens la fixaient aussi en espérant qu'elle se tèse enfin ou qu'elle sorte du tramway. Je pouvais voir le fil pendre de son oreile et passé a l'intérieur de sa blouse et resortir en bas — et j'ai vu qu'il était branché nul part. Elle disait qu'elle savait qu'elle était nul et que mon Dieu tu as teeeeellement raison et tout ce temps la le fil pendouilait et elle ne le savait mème pas. Drole non ? J'allais lui dire que son ami ne pouvait pas l'entendre mais le tramway est arivé a mon arèt et je suis descendu. La femme était encore en train de parler a persone.

135

Jaden m'atendait proche d'un parc au bout de la rue 19.

Je devrais pas ètre la je lui ais dis. J'ai dis à ma mère que je resterais a la maison.

Qui sait ou tu es? il ma demandé.

Persone – sauf toi.

C'est bon.

Vraimant? Est ce que ta grand-mère sait ou t'es?

Sur que non. On a sourri – 2 gars qui mentent a leur famile.

T'es près a prendre le stock? il ma dit.

Le stock j'ai répété.

Le deal fonxione encore et c'est notre bou-leau maintenent. Le stock. Tu vois – *bang bang!*

Ouai j'ai dis. *Bang bang!*

On a marchés dans des embalages de bon-bons et des saletés et l'odeur du lac. Un écureuil me regardait du aut d'une poubèle. Il avait des yeus noir comme des boutons et bougait la tète comme pour me dire salut. Je me demandais c'était quoi son nom. Peut ètre Zéké. Zéké l'écureuil. Il avait 1 beignet entre les grifes et il en a prit 1 petite bouchée et me l'a tendut. J'ai fais non de la tète.

Bunny! Par la!

Ouai j'ai dis. Salut Zéké.

Dans le parc il y avait 1 tobogan et un bac a sable et des arbres et 1 coline. En aut de la coline il y avait une statu de je en sais quoi. Il y avait aussi 2 tables a picnic en aut a coté de la statu et tout le monde étaient assis aux tables. Cobra était la et Snocone et Jello et Xray et Morgan. Et 1 gars que je conaisais pas – 1 gars maigre plié comme 1 trombone avec une cigarete au bec.

Cobra s'est levé quant il ma vut et il ma sourrit et il est venut a ma rencontre et ma tendut la main. On a fait le truc des 15 – point et xploze.

Merci il ma dit.

Hein ?

C'est lui il a dit aux autres. C'est Bunny et il nous a sauvé.

Ils ont faient ouai de la tète. Snocone avait pas l'air contant mais il a dit ouai de la tète aussi. Wow Bunny ! a dit Jello. Il était bien abillé aujour-dui – une grande chemise avec des boutons devans.

Je me tenais au milieu des tables de picnic et Cobra a mit ses 2 mains sur mes épaules. Il a parlé a tout le monde de Spencer et de Al Capoli qui s'en allaient a Jackfish et coment Jack et Hobo avait conduit toute la nuit vers Jackfish et que le deal était reparti. Je ne comprenais pas pourquoi ils s'intéresaient tant a Spencer mais c'était le cas et ils étaient contants et c'était super.

Et l'actrice j'ai dis.

Hein? a dit Cobra.

C'est pour ça que Spencer est a Jackfish j'ai répondu. Il faut qu'il se fasse embraser par 1 viele femme – Gloria quelque chose. C'était l'idée de mon grand-père. Comme mon couzin qui est allé en Afrique et mon tatou. On a eu des envelopes j'ai dis.

Persone a rien dit. D'en aut l'odeur du lac était plus forte. Je pouvais voir l'eau entre les arbres et les maisons. Une petite tache qui brilait au soleil. Avec le soleil sur elle l'eau avait l'air d'ètre argent au lieu de bleu.

Cobra a recu 1 coup de fil. Hé Julius il a dit. Il s'est éloigné de nous pour entendre mieu. Le gars trombone est venut vers moi et ma fait le signe des 15.

Aricot magique il ma dit.

Hein? j'ai dis.

C'est comme ça qu'on m'apelent il ma dit. Parce que je suis maigre tu vois. Mon vrai nom c'est Jack. Comme Jack et le aricot magique.

La cigarete était resté dans sa bouche et avait bougée de bas en aut pendans qu'il parlait. Sa voi était rocaileuse.

Bunny j'ai dis. Comme Bunny.

Cobra devait partir tout de suite et il a emené Morgan avec lui. Avan de partir il a pointé son petit frère.

Tu vas au repère il a dit. OK Jaden? Jello te conduira. Emène sufisament de monde pour transporter le stock. Tu te rapeles ou c'est hein?

Jaden a sourri.

Cobra était encore au téléphone. Putin Julius il disait en descendant la pente. Putin pourquoi ils ont besoin de moi?

C'est qui Julius? j'ai demandé a Jaden.

C'est mon oncle il a dit – notre avocad. Tu l'as pas vu hier soir au comissariat de police? Je lui ais parlé de toi.

C'est ton oncle?

Ouai. Il est au couran de tout.

En tout cas il avait vraimant pas envi de me conaitre j'ai dit.

Zéké l'écureuil est revenut et se tenait debout avec les pates en avan comme si il mendiait. J'ai trouvé 1 bonbon dans ma poche et je me suis mis sur les genous. Je lui ais tendu le bonbon. Zéké l'a prit et s'est enfuit en courant et un autre écureuil est venut et se tenait xactement de la mème fasson. Je me suis demandé si c'était Zéké ou si il ne fesait que lui ressembler. Après je me suis dis qu'on s'en foutait que ce soit lui ou pas et qu'il pouvait bien avoir 1 bonbon sauf que je n'en avais plus. Pas de chance Zéké je lui ais dis. Quant je me suis relevé les gars me fixaient.

On s'en va chercher le stock maintenent Bunny a dit Jaden.

Le stock? j'ai dis. Tu veus dire genre *bang bang*?

C'est ça que je veus dire.

Aricot a sorti le point et je l'ai cogné. Snocone avait l'air amer comme si il buvait du lait oublié dans le frigo.

JADEN SAVAIT OU ALLER

MAIS IL ÉTAIT PAS ASSEZ VIEU pour conduire alord il s'est assit en avan a coté de Jello. Snocone n'est pas venu avec nous ni Morgan. Alord j'étais derrierre avec Aricot et Xray. Aricot était a coté de moi. Il sentait les bonbons de Noel. On a roulés sur la voix rapide pendans 1 certin temps et on est sortis. Jaden avait dit a Jello de prendre cette sorti. Tourne ici il a dit. Va tout droit. Tourne ici. Et la. Jello fesait ce que Jaden disait.

T'es sur que c'est le bon endroit? a demandé Xray. J'ai jamai entendu parler de stock pour les 15 ici. Toi Jello? Aricot? Vous conaissez cet endroit?

Non a dit Jello les mains sur le volant.

Nan a grogné Aricot.

Hé t'es sur que c'est le bon endroit? a dit Xray.

Cobra ma emené ici a répondu Jaden.

On étaient dans 1 bizare coin de la ville – voix rapide d'un bord et nous et le lac de l'autre – roulant dans la pousière et les trous et l'herbe morte. La bagnolle bondisait entre les clochars et les mouètes et les imeubles sans toi et les amas d'ordures et les caroses de supermarché et tout. On passait aussi par des clotures qui défendaient d'entré. Je pouvais sentir la puanteur du lac et des ordures et de quelque chose qui brulait et d'autre chose qui pourisait. On s'est rendus a 1 paneau qui disait LOK AL et 1 flèche qui pointè vers la droite. On suient ça a dit Jaden.

LOK AL était 1 endroit avec une cloture qui pouvait s'ouvrir. On s'est arètés et on a atendus que le gars ouvre la sérure – *chinka chinka chinka*. La cloture a glissé de chaque coté et on est entrés en voiture très doucement. Il y avait 1 enfilade de garages avec des portes oranges. La dernierre au bout était la notre. Jello a arètè la bagnolle et on est tous sortis.

Je conais pas cet endroit a dit Jello. Vous?

Persone me dit jamai rien a dit Xray.

Aricot a fait non de la tète.

Jaden a ouvert un casier avec 1 clé qu'il portait au tour du cou. La porte s'est ouverte et j'ai apercu une pile de boites posée sur le planché de béton.

Le stock.

Ça resemblait a des boites en quarton normales – le genre qu'on trouvent dans les magasins – mais tout le monde disaient Wow! et Ah ouai! Alord je l'ai dis aussi.

Super! Le stok j'ai dis.

Jaden ma doné 1 coup sur l'épaule.

Sur les cotés des boites c'était écrit quelque chose par rapport a des pièces de voiture. C'était aussi marqué «Manipulé avec soin». Et aussi «Chine». Je n'ai pas eu le temps de tout lire avan qu'on les chargent dans la voiture. Ça n'a pas été long et Jello a fermé le cofre et on avaient finis.

On s'est tenus devan le garage et on a tous faient ouai de la tète.

Alord le deal est en marche a dit Jello. Est ce qu'on est près. Est ce que tout le monde est près.

Ouai on a dit.

Allez plus ford! J'ai dit est ce que tout le monde est près? T'es près Jaden? Xray? Aricot? Bunny?

Ouai !

On est remontés dans la bagnolle. Cette foie Xray s'est assis a l'avan. Je me suis assis entre Jaden et Aricot et j'ai pris 1 grosse inspirasion – Hummmm. Et je l'ai gardé a l'intérieur. Ça me fesait du bien de me tenir avec ces gars la.

J'ai xpiré – Ahhhhh.

Le chemin du retour a été très lent parce qu'on a roulés tranquilement. L'arrierre de la voiture touchait la route a chaque bosse. Je pouvais entendre les boites s'entrechoqué dans le cofre.

Quelle sorte de pièces mécaniques on transportent ? j'ai demandé. Les boites sont plutot lourdes. Est ce qu'elles contienent des pneus ou des tuyaus d'échapement ou des morceaux de direxion ou autre chose ?

Jaden ma doné 1 petit coup sur l'épaule. T'es drole il a dit.

Ouai ouai.

Je ne blaguais pas mais je ne l'ai pas dis.

On roulaient sur Lake Shore en croisant des arbres et des grosses maisons et des magasins qui vendaient des trucs a 1 dollar. Le paneau suivant indiquait Rue Mimico.

On est arètés devan 1 imeuble avec des apartmens et on atendaient le feu. Xray conaisait l'imeuble. Il a parlé de tout ce qui allait de travert avec cet imeuble. L'eau ne fonxionait pas et les ascenseurs non plus et il y avait des bestioles et du bruis et d'autre choses et après 1 momant j'ai arèté de l'écouter. De l'autre coté de la rue 1 femme promenait 1 lézart. Il était aussi grand que son bras et il bougait lentement et prudament – une pate a la foie. Un vrai lézart. Il avait l'air vieu comme si il était né avan le débus des temps. J'ai doné 1 petit coup a Jaden.

Hé! Cool! il a dit. Le feu a changé et on a repris notre route.

Aricot s'est penché vers moi.

T'es blanc il ma dit.

Ouai.

Je ne me suis jamai assis a coté d'un blanc dans 1 bagnolle il a dit.

Moi oui j'ai dis. Très souvant mème.

Il a rigolé. Jaden ma entendu et a ri aussi. J'imagine que c'était drole.

Une moto nous a dépasée par la droite. *Vroooom.* 2 motos. Les gars dessu avaient ce *A* sur leurs manteaus. Ils roulaient devans nous cote a cote.

Angels j'ai dis.

Ouai a dit Jello.

Il conduisait. Les Angels vroomaient devans nous sur leurs motos. Xray a dit coment chez lui non plus ça ne fonxionait pas. Les portes ne s'ouvraient pas et les sonetes ne sonaient pas et il y avait des mouches dans le beure.

Encore plus de *vroooom*. Il y avait une moto a coté de nous. Un gars avec 1 barbe fixait l'intérieur de la bagnolle. 2 motos de plus derrierre nous. Xray a arèté de parler. Jaden a posé sa main sur mon bras.

Est ce qu'ils savent qui on est? j'ai demandé.

O ouai.

Il y avait de la tention. Je pouvais la resentir. On a roulés comme ça pendans 1 momant avec des motos devans nous et des motos derrierre nous et des motos a coté de nous. Persone ne parlait plus maintenent. Je pouvais sentir l'odeur de la sueur comme après les entrainemens au jym. Je contais ma respirasion. Finalement je me suis penché au dessu de Jaden et j'ai sortis mon bras par la fenètre.

Foutez le camp j'ai crié aux motars.

Aricot ma tiré vers l'intérieur. Jaden a chuchoté a mon oreile de fermer ma gueule.

T'es malade ma dit Jello. Tu veus 1 bagare avec notre stock dans le cofre?

L'Angel a coté de nous a regardé dans la voiture. J'ai regardé a l'xtérieur. Un paté de maison plus loin les motos ont tournées sur une rue transversale et la route au tour de nous était maintenent vide. J'ai senti que tout le monde étaient plus calmes tout d'un coup. On a continués notre chemin jusqua la rue 10 et 11 et Jello a pèté super ford ce qui nous a tous fait rirre. Xray s'est mit a se plaindre de l'odeur.

Je me suis tourné vers Jaden. Les Angels sont toujours les mauvais gars pas vrai? je lui ais demandé. Alord pouquoi on peut pas leur crier aprè?

Tu te rapeles le deal avec eus? Il faut qu'on soit gentis avec eus pour l'instant a dit Cobra.

Ah ouai le deal j'ai dis.

Il a sourri. Il aurait surement pu avoir le sourirre Merde Bunny mais il ne le fesait pas.

J'avais oublié le deal j'ai dis a Aricot et il a hoché la tète mais il avait un petit sourirre lui aussi.

Demain a dit Jello. Le deal c'est aujourdui alord demain tu pouras engueuler les Angels.

Arivés au McDonald's au coin de la rue 16 et de Lake Shore on a tournés.

Regardez les gars sont la a dit Jaden.

ILS SE SONT ENGOUFRÉS DANS LA BAGNOLLE

ET ON EST ALLÉS CHEZ QUELQU'UN. Je n'ai pas pu voir ou c'était parce que l'arrierre de la voiture était rempli de jambes et de bras et de fesses après que Snocone et Morgan et Bonesaw soient entrés dans l'auto. Je ne savais pas qui était Bonesaw – il était chauve et on l'avaient ramasé avec les autres dans le parking du McDonald's alord qu'il tenait des sacs de boufe. On me l'a présenté plus tard quant j'ai renversé quelque chose sur lui.

En tout cas tout le monde criaient et parlaient et Jello disait de faire atention au levier de vitesse et la bagnolle sentait les frites – vous savez ce que je veus dire – et on s'est arètés d'un coup sec et Jello a dit allez sortez allez sortez et on est sortis. On étaient devans une maison avec une pousete sur le gazon et on est entrés et il y avait 1 femme dans la cuisine qui tenait 1 bébé dans ses bras et qui fesait des bruis de pet avec ses lèvres sur le ventre du bébé. Quant elle nous a tous vus elle a arètée de faire des bruis et le bébé a arèté de rirre.

Salut maman a dit Snocone. Salut Lucy.

Je pouvais pas croire que c'était ça mère. Elle avait l'air de sa sœur. Pas juste jeune mais étrangement jeune. Ma mère aurait pu ètre la mère de la mère de Snocone. Il était plus vieu que nous mais pas vieu comme 1 papa. Plus comme 1 grand frère. En fait je me rendais conte qu'il aurait pu ètre un père. Il lui a tendu ses frites et elle en a prit quelques unes et elle en a doné 1 au bébé qui l'a laissée tombée. Morgan lui a demandé coment elle allait et il a fait 1 calin au bébé et le bébé a fait *bla* comme tous les bébés. C'était comme si il était son amoureus.

Ils parlaient de moi en bas des escaliés. Je les entendais. Snocone disait mais il est telment con et je savais qu'il parlait de moi. Il y a eu des éclats de rirre et quelqu'un a demandé si j'xistais pour vrai. Jello a dit que j'étais rapide et que ça c'était vrai. Jaden a demandé a tout le monde de fermer sa gueule et a dit que j'étais sufisament inteligent pour avoir sauvé le deal et que Cobra me trouvait OK. Quant je suis arivé en bas ils parlaient d'autre choses. Jello ma lancé 1 hamburger et je l'ai atrapé. Tu vois il a dit au gars a coté de lui. Qu'est ce que je te disais. Il est rapide.

L'étage du bas avait des murs blanc et 1 tapit brun et il y avait des chaises et des divans et 1 télé. Il y avait de la musique mais je ne savais pas d'ou elle venait. J'arivais pas a trouver 1 place pour m'assoir alord j'ai mangé debout et c'est la que j'ai renversé quelque chose sur le gars que je ne conaisais pas – je me tenais a coté de lui et j'ai renversé du ketchup qui sortait de l'arrierre de mon hamburger. Il est tombé sur son crane chauve et j'ai dis oups et Jaden a ri. J'ai esayé d'esuyer le ketchup mais plus j'esayais plus il s'étalait et le gars chauve s'est levé et ma envoyé 1 coup de point. Je l'ai atrapé avec ma main et j'ai dis que j'étais désolé et tout le monde s'est rasemblés au tour de nous. Il est allé a la sale de bain et quant il est revenu je lui ai dis que j'étais désolé encore et il a hoché la tète et a dit peu importe. C'est la que j'ai découvert qu'il était le frère de Scratch et que son nom était Bonesaw. Il ma dit que mon tatou resemblait beaucoud a celui de ses frères. Il voulait savoir ou je me l'étais fais faire et je lui ais dis au Réservoir d'Enkre. Il a dit qu'il conaisait la chandèle.

Ça s'est passé ou? il a demandé.

J'ai dis au mème endroit. Son nom était Roxy. Elle était chauve comme toi.

Certins jasaient de trucs épeurants – des gars morts qui revienent vous hanter et des trucs comme ça.

J'ai vu quelqu'un après qu'il soit mort j'ai dis. Je pensais a mon grand-père dans la télé dans le bureau de l'avocad.

Un fantome? a dit Aricot.

Un genre de fantome ouai j'ai dis.

On a terminés notre repas. J'étais assis sur le planché le dos apuyé sur le mur. Jaden était a coté de moi et Aricot était sur 1 des divans. Il s'est redresé.

Est ce que le fantome t'a parlé?

Ouai pendans très long temps. Il xpliquait des trucs j'ai dis.

Tous les autres me fixaient. Snocone s'est détourné de son jeu vidéo. Bonesaw avait les sourcis froncé comme si il ne me croyait pas mais il me regardait aussi.

Qu'est ce que le fantome t'xpliquait?

Ma tache – ce que j'étais censé faire j'ai dis.

Sérieus?

Les yeus de Jaden était grand ouverts.

Vous les gars vous pensez que je suis stupide j'ai dis. Je le suis mais des trucs sérieus peuvent ariver aux cons aussi. J'ai vu le fantome de mon grand-père et il ma doné 1 tache. Et maintenent je suis ici.

Tou le monde me regardaient et disaient *bizare*.

Est ce que t'a revu le fantome après? ma demandé Jaden.

J'ai vu son cercueil. Mais ça c'était avan.

Bonesaw a frémi. Ils ont comencé a parler de musique au lieu de fantome et j'ai arèté d'écouter parce que je ne conais pas grand chose a ça. La mère de Snocone est arivée en bas avec Morgan. Elle a comencé a ramaser le bordel. Morgan a déposé le bébé sur le planché et il s'est mit a rouler sur lui mème. Quelqu'un a crié Jackson et tout le monde s'est mit a rirre. Je pensais qu'ils voulaient parler de Mikael Jackson mais non. Quant je leur ai demandé ils se sont foutus de ma gueule et ils se sont retournés. Ils parlaient de quelqu'un d'autre qui s'apelait Jackson. Je m'en foutais.

Ils parlent de qui? j'ai demandé a Jello qui était assis près de moi.

Hein?

Tu as levé les yeus quant ils ont parlés de Jackson.

Non j'ai pas fais ça.

Oui tu l'as fais.

Ta gueule.

Son téléphone a soné.

C'est Cobra il a dit.

Il a pressé le téléphone sur son oreile et il a fixé le plafond et a écouté.

Ouai on est près a y aller il a dit. Jaden nous a emené a l'entrepot. Le stock est dans le cofre de la cadilac maintenent. On est chez Snocone en ce momant. Ouai Bonesaw est la aussi. T'as des nouvèles de Scratch?

J'étais sur le planché. Bébé Lucy a rampé vers moi et a posé 1 main sur mon bras. Ses doits étaient tout petits et doux et un peu colants. Ouache. Elle avait un drole d'air dans le visage. Comme si elle parlait intérieurement a quelqu'un quelque part au loin – genre Dieu ou quelque chose comme ça. Jello aussi. Ils avaient tous les 2 le mème air – les yeus au plafond et parlant a l'au dela.

Mais tu vas ètre la pas vrai? a dit Jello.

Il a continué d'écouter encore et il a racroché. On le regardaient tous.

Le deal marche il nous a dit. Cobra va nous rencontrer au centre comercial.

On a fait 1 petit regroupement comme avan 1 match de footbale – Jello au milieu et nous au tour en le regardant – et il nous a xpliqué ce qu'on étaient censés faire et on a fais 1 encouragement en criant 1 2 3 et on a couru vers l'étage d'en aut.

T'en fais pas j'ai dis a Jello. Ça va bien se passer. Le deal va marcher et après on poura payer le jym et tu pouras continuer de t'entrainer.

Quoi? il ma dit.

C'est ce qu'on veut non?

Il n'a pas répondu.

Morgan a doné 1 bizou a la mère de Snocone et a dit au revoir au bébé. Le bébé a frapé son visage gauche droite gauche et il a ri.

Quelqu'un pue il a dit.

T'as raison a dit la mère de Snocone. O Lucy!

J'étais tout près et je pouvais sentir aussi. J'ai compris a ce momant la la raison du regard dans l'au dela de Lucy – elle était en train de faire caca.

ON S'EST RENDUS AU CENTRE COMERCIAL

PARCE QUE C'EST LA qu'allait avoir lieu le deal. Cobra voulait que tous les Possy soient présent au cas ou. On n'avaient pas confiance dans les Angels et les Buffalos de Torrents. On leur fesaient pas confiance a Jackfish et ici non plus. En fait on leur fesaient pas confiance point.

Jaden et Snocone et Aricot et moi on étaient dans l'autobus. Les autres allaient nous rejoindre plus tard en bagnolle. Jaden et moi on étaient dans le dernier siège en arrierre et Snocone et Aricot étaient assis cote a cote dans le siège devans nous. Le paneau a l'avan de l'autobus disait Sure Way. C'était le nom du centre comercial. Les Jardins Sure Way.

Je voulais savoir quelque chose. Si on leur fait pas confiance est ce qu'ils nous font confiance? j'ai demandé.

Aricot a sortit de son ronflement profond.

Persone fait confiance a persone il a dit.

L'autobus roulait sur 1 rue apelée Evans. On a descendus une coline et montés une coline en croisant des magasins de pneus et des magasins de beignets et des endroits avec des paneaus qui disaient des choses que je comprenais pas. Un des paneaus disait Systèmes. Je me suis demandé ce qu'on pouvait acheter la. Dans 1 magasin de beignets on achètent des beignets. Mais dans 1 magasin de systèmes?

On est passés devans 1 grand restorant et 1 gros cinéma et d'autres gros magasins qui vendaient des gros trucs. Ça ma rapelé le flingue dans mon pantallon.

Ouai. Flingue. Jello avait demandé si tout le monde se sentaient près et tout le monde avaient sortis son flingue. Comme si ça avait été 1 émission de télé dans le sous sol de Snocone – des gars qui tenaient des flingues et qui les pointaient et qui vérifiaient si il y avait sufisament de bales. Cool pas vrai? Et des couteaus – Jaden en a 1 qui se repli et qui se dépli d'un coup.

Jello m'avait demandé ou était mon tuyau.

Mon tuyau?

Tu sais – ton flingue.

C'est ça alord 1 tuyau. Je n'en avais pas.

Ma mère déteste les flingues j'ai dis.

Jello a trouvé ça drole. Il a sortit 1 pistolet de son pantallon et me l'a doné. J'ai dis et toi? Il ma dit de pas m'inquièter et il a levé sa chemise pour me montrer 1 autre flingue de l'autre coté.

Tu sais coment t'en servir il ma demandé.

Ouai j'ai dis.

Tout le monde sait coment se servir d'un flingue non? Tu vises et tu tires. J'avais déja tuer des miliers d'xtras terrestres et de zombis. Des miliers et des miliers. J'ai mis le flingue dans mes pantallons comme lui. Ma chemise le recouvrait. Je me resemblais mais j'avais l'air bizarre.

Il est chargé ma dit Jello. Te défonses pas les couiles.

Couiles. J'ai ri.

159

L'autobus s'est arèté et des vieu sont montés lentement en clignant des yeus. Une femme pleine d'autorité avec 1 chapau rouge leur a demandé de trouver 1 siège de trouver 1 siège de trouver 1 siège. L'autobus est reparti. Les vieu se sont assis et leurs tètes bougaient comme si ils avaient été des poupées. Une des vieles a demandé si elle pouvait rester debout et regarder dehors par la fenètre.

Je veus voir elle a dit. Je vais bien me tenir elle a dit. J'ai 1 bone poigne.

C'était 1 petite femme avec des mains agiles qu'elle a enroulé au tour du poteau et désenroulé et enroulé encore. Comme 2 araignés au bout de ses bras.

Non !

Le chapau rouge autoritère l'a poussé dans le siège le plus près.

Reste la Délicate ! elle a dit. Je comence a en avoir assez de toi.

Délicate je me suis dit. Drole de nom mais ça lui allait bien. C'était 1 femme délicate. Comme toute ridée et usagée mais OK. Comme 1 digue délicate qui pourait encore retenir l'eau.

Elle a lancé 1 regard furieus au chapau rouge.

T'es telment aveugle a dit Délicate.

Jaden ma doné 1 coup sur l'épaule et après il s'est penché vers Aricot et Snocone.

On est près il a dit.

Snocone a ouvert son point et il y avait le signe 15 dedans – a l'intérieur de sa main. Le chifre était strié comme le mien.

Je suis avec les Possy a fond il a dit.

Moi aussi a dit Aricot.

Et moi a dit Jaden.

Et moi j'ai dis. Pas juste pour dire quelque chose. J'y croyais. Et moi.

L'autobus a monté une coline et a tourné dans 1 virage.

Le centre comercial était en dessou de nous avec plein de voitures garées au tour. D'ou on était les magasins avaient l'air de bars de savon flotant sur 1 lac. C'était les bagnolles qui fesaient le lac.

PENDANS LES JOURS DE PLUIE

A LA MAISON DE CAMPAGNE ILS JOUAIENT AUX CARTES. Une foie Spencer et DJ et Webb et je pense que tante Vicky était la au tour de la table de la sale a manger. Grand-père m'avait vu bayer et m'avait prit par la main. Seulement moi. On est allés dans son atelié et il ma montré une épée. Un vraie de vraie comme au musé. Il ma laissé la toucher et ma demandé de regarder la pointe rouge. C'est du sang ça Bernard il ma dit. Il m'avait xpliqué qu'il avait sorti cette épée du corp d'un gars quant il était jeune. Il m'avait dit que ce sang c'était celui d'un bon gars qu'un mauvais gars combatait et c'est pour ça que grand-père n'avait jamai netoyé la lame – parce qu'il voulait se rapeler du bon gars. Je lui ais demandé c'était quoi le nom du bon gars et grand-père a hoché la tète. Je l'ai jamai rencontré il ma dit.

Alord coment tu sais qu'il était un bon gars? je lui ais demandé.

Il était avec moi il ma répondu.

Donc il était un bon gars?

Ouai.

Coment tu le sais?

Les dents de grand-père étaient jaunes quant ils sourriaient. Il ma dit que c'était dificile a xpliquer.

C'est juste que tu le sais grand-père ma dit. Tu le sens. Crois dans tes intuisions.

OK j'ai dit.

Il a ramassé l'épée. Très cool hein? Grand-père avec ses cheveus blanc et son sourirre triste et le regard a travert la fenètre. Et l'épée avec le sang rouilé dessu et la pluie qui tombait le long du rebord de la fenètre.

Il y avait 1 nid de fourmie dans le coin de l'atelié. Grand-père a prit 2 canettes de chasse moustique et m'en a doné 1. On les a vaporisé jusqua la mort. Tiens! il a crié. Crevez! Ça ma fait rirre.

J'ai raconté l'histoire a Spencer ce soir la. Grand-père t'aime bien il ma dit.

Mème si je suis stupide j'ai demandé.

Ouai.

Tu aurais du le voir tuer les fourmies j'ai dit.

Il a piloté des bombardiés pendans la guère Bun. Tu te rapeles ce que papa a dit – c'est 1 tueur.

Grand-père est 1 tueur j'ai dis dans la nuit. Grand-père est 1 tueur. Grand-père est 1 tueur.

Quelqu'un ma dit de fermer ma gueule.

MA ANCHE
ME FAIT MAL.

L'AUTOBUS A GRONDÉE ET A SIFLÉE SOUS 1 VOIX RAPIDE. Le soleil est aparu quelques instans et ma aveuglé. Rue de L'East Mall a dit le chaufeur. La rue de l'East Mall est la suivante.

Qu'est ce que tu fais avec ce truc?

Snocone froncait les sourcis en me regardant.

Je fais rien j'ai dis.

Mes le aileurs. Merde.

J'avais le flingue dans les mains et je le regardais. Couleur bleu gris. La forme de mon doit et de mon pousse quant je fesais semblant de tirer sauf que la c'était pas semblant. J'ai remis l'arme dans mes pantallons.

Désolé.

T'es fou il ma dit.

L'autobus a roulée dans le parking du centre comercial devans le magasin Sears et le magasin de sports. Il a croisé les briques blanches et les banières et les bagnolles garées et les grosses persones et les charios et les chapaus. Et les sacs. Tout le monde avaient 1 sac. Les sacs du magasin de sports étaient bleu et ceus de chez Sears étaient blanc. Je les ai conté.

Sure Way a dit le chaufeur. Les Jardins Sure Way.

Les vieles étaient devans nous. Elles sont sorties les premierres avec chapau rouge qui les pressait. Restez groupé jusqu'au cinéma elle a dit. Elle se tenait près de Délicate – la viele qui voulait tout voir.

Snocone avait son téléphone dans la main. Salut Jello il a dit. Ouai. Ouai. OK.

Il la rangé. Cobra est avec eus il a dit. Ils arivent.

On a marchés au tour de l'xtérieur du centre comercial. Aricot et Snocone se parlaient de ce qu'il faudrait faire si ça tournait au vinaigre avec les Angels ou les Buffalos. Snocone a dit qu'on devraient être 1 peu agressif – près a se batre. Leur montrer qui on est pour qu'ils ne cherchent pas la bagare. Aricot a dit quelque chose que je n'ai pas compris. Jaden s'est tourné vers moi.

Qu'est ce que t'en penses Bunny – si les choses tournent mal qu'est ce qu'on devraient faire?

Ensembles j'ai dis. C'est comme ça qu'on devraient faire.

On étaient maintenent devans l'entrée du centre comercial. Des bagnolles garées. Des banières qui claquaient au vent. Des nuages qui flottaient. On a trouvés 1 endroit pour atendre tout près d'un petit mur de siment. Mon tatou était colant. Une femme est sortie du centre avec 1 sac blanc de chez Sears. Ça en fesait 44 contre 36 bleu.

J'ai entendu le bruit du *vroom vroom* au loin. Je savais ce que c'était et qui c'était.

Les Angels a dit Jaden.

Les batars a dit Snocone.

Il y avait 4 motars assis sur 2 motos. Ils ont fais le tour du parking en se penchant pour tourner. On les a regardés passés avan qu'ils disparaissent. Aricot était mince et avait 1 grosse tête ce qui le fesait resembler a une ampoule sur 1 tige. Ils vérifient l'endroit il a dit. Dis le a Cobra.

Snocone avait déja sorti son téléphone.

Les batars sont en train de tricher il a dit. Ils sont arivés d'avance.

J'ai chuchoté a Jaden. Est ce qu'on est en avance?

Jaden a fait oui de la tète.

Alord on est des batars nous aussi j'ai dis.

ARICOT EST ENTRÉ DANS LE CENTRE

ET EST REVENU AVEC DES CAFÉS POUR LUI et Snocone et du coke pour moi et Jaden. Snocone était pas vraimant plus vieu que nous mais il buvait le breuvage des adultes. Il aimait ça. J'ai conté plus de sacs bleu et blanc.

On a parlé de ce qui nous rendaient forts. Pas juste des pompes et des pois mais aussi des trucs comme coment tu te tiens près de tes amis et que tu te fous de ce que les autre persones disent. Je leur ai parlé de ce que grand-père disait a propos d'avoir 1 équipe qui te rendait plus ford. Comme quant il avait son équipage a l'époque.

On s'en fout de ton grand-père a dit Sno-cone. Qu'est ce qu'il conait a ce qu'il faut pour ètre ford et se tenir debout? Qu'est ce qu'il conait a propos de tuer des gens?

Grand-père était 1 tueur j'ai dis. Il a tué des centaines de persones et il leur a fait mal en plus – il leur a fait xploser les bras et aussi les jambes. Il était ford pour vrai.

Ils m'ont fixé.

Des centaines? Jaden a demandé.

Au moin.

C'est ce que mon père disait – des centaines au moin. Spencer et moi on étaient petits et on trou-vaient ça cool mais papa disait non non tout ce truc était horible et mal. J'avais demandé si grand-père était le mal et mon papa avait dit non parce que grand-père combatait l'enemi invisible et que c'était eus le mal. Et après c'était l'heure du dodo.

Une fille est passée avec sa mère. Elle avait a peu près le mème age que moi. Mince et mi-gnone elle portait des lunetes de soleil et ses che-veus montés en l'air et des talons qui la fesaient paraitre plus grande. Aricot a demandé a Jaden ce qu'il en pensait. Cette seurette est plutot xcitante non? Tu penses pas Snocone? Bunny?

Ça tu peus le dire elle est xcitante a dit Snocone.

Xcitante j'ai dis.

Jaden ma doné 1 petit coup de point. Je l'ai frapé a mon tour. Aricot a bu de son café. La fille et sa mère sont montées dans leur bagnolle et sont parties.

Jaden et moi on est montés sur le mur de siment et on a commencé a marcher. Je pensais a la fille xcitante.

Est ce que je pourais l'apeler seurette? j'ai demandé.

Qui? a dit Jaden.

Aricot l'a apelé seurette parce qu'il est noir j'ai dis. Et je me demandais si je pouvais l'apeler seurette aussi. Parce qu'elle est toujour noire mème quant je parle d'elle.

Non.

Non elle est pas noire?

Non tu peus pas l'apeler seurette. Elle est pas ta sœur. T'es blanc.

Est ce qu'elle est ta sœur.

Oui.

Il était telment sur de lui.

Mais elle est toujour xcitante non? j'ai dis.

Le soleil est sorti a nouvau. Ses rayons m'empèchaient de voir les choses distinctement. Pourquoi je n'avais pas de lunetes de soleil? Jaden se tenait sur le mur avec les mains levées. Je pouvais voir la bosse de son flingue en dessou de sa chemise.

Je suis contant que tu sois la Bunny il a dit.

Moi aussi.

Toi et moi on va rester ensembles.

Ouai.

Il y avait plein de poteaux avec des lettres dans le parking – A B F genre. La grosse bagnolle noire et blanche de Jello s'est arètée dans 1 endroit libre sous le M. Cobra et Jello et Morgan et je ne me rapele plus son nom sont sortis et se tenaient au tour de l'auto avec leurs mains comme ça – des durs.

C'était le momant du deal. On s'est aprochés – derrierre 1 camionete avec 1 bosse sur le coté. Je pouvais voir une poupé de Bob L'éponge sur 1 siège de bébé a l'arrierre de la camionette. Vous conaisez Bob l'éponge avec ses gros yeus et ses petits bras tout minces? Il est drole.

Les Angels nous donaient de l'argent pour qu'on puisse garder le jym. Je me demandais ce qu'on leur donaient en retour.

Vrooom. Les Angels étaient la. Ils tournaient au tour de la bagnolle. Au tour de Cobra et de

Morgan et de Jello et de Bonesaw – c'était le nom que j'avais oublié. Jello avait 1 celulaire dans l'oreile. Sa tète tournait pour suivre les motos.

Batars a dit Snocone.

Ou sont les gars de Buffalo ? a dit Aricot.

Jaden a mit sa main dans sa chemise pour sentir le flingue.

Le ciel était le ciel.

Les motos ont fait des bruits de pet en s'arètant. Le Angel qui était devans avait une barbe noire et 1 veste comme un pirate. Je le reconaisais pour l'avoir vu a la télé avec maman. Cobra et Morgan étaient apuyés sur notre voiture. J'ai pensé a Morgan qui avait embrasé la mère de Snocone. Et qui m'avait montré coment tomber. Le Angel pirate s'est assis sur sa moto avec ses bras croisés sur la poitrine.

Ou sont les gars de Buffalo ? a encore demandé Aricot.

Batars a dit Snocone.

Les Angels atendaient. On atendaient. Je pouvais resentir l'atente comme si tout le monde retenaient son soufle en mème temps. Je me suis mis a réfléchir a si tout le monde dans le monde retenaient son soufle en mème temps et a ce qui se passerait lorsque tout le monde xpireraient en mème temps.

Je me demandais a qui Jello pouvait bien parlé au téléphone.

Un papa est venu notre rencontre. Il portait des shorts et des sandales et 1 petit enfan dans ses bras. Les cheveus de la petite fille xplosaient au tour de sa tète. Short. Jambes brunes. Petits orteils dans ses sandales.

A moi! a dit la petite fille. A moi! a dit la petite fille en pointant vers la camionete.

Snocone s'est aproché du papa.

On est occupés ici il a dit. Allez vous en.

Le papa a reculé d'un pas. Hein il a dit.

Papa! a dit la petite fille.

Hein.

Il a fait 1 autre pas vers l'arrierre et s'est retourné. Le aut d'un petit sac blanc dépassait de la poche de ses shorts. Ça fesait 76.

Non! a dit la petite fille. Papa! Non! A la maison. A la maison!

Un VUS noir a dérapé en s'arètant devans les motars. Il avait 1 gros pare choc et des lumières avan comme des yeus qui fixaient droit devans. Un gars blanc a sorti la tète par la fenètre avan. Quelqu'un d'entre vous s'apele Cobra? il a crié. Je cherche 1 gars qui s'apele Cobra et 1 gars qui s'apele Zéké. J'ai quelque chose pour vous.

Il parlait bizarement.

Il vient de Buffalo! a dit Aricot.

Plus persone ne retenait son soufle. Le deal était en train de se faire. Sois près a tout a dit Snocone d'une voie faible.

Jaden regardait par dessu le capeau de la camionete en se mordant les lèvres.

A tout je pensais. A tout.

La petite fille et son papa marchaient en direxion du centre comercial. Elle donait des coups de pieds et lui la sèrait ford. Jello a rangé son celulaire. Le VUS s'est garé dans 1 place libre et le gars en avan a couru au tour du VUS et a ouvert la porte arrierre.

LE GARS QUI EST SORTI DU VUS

ÉTAIT PLUS VIEU QUE NOUS. Pas comme Morgan ou Cobra mais vraimant vieu comme 1 papa. C'était bizare de faire ce deal avec quelqu'un qui avait l'age d'un père. Il a séré la main du Angel pirate et a dit salut petit gars tu dois ètre Zéké. Je m'apele Bobby. Après il a fait la mème chose avec Cobra mais il ne l'a pas apelé petit gars. Je m'apele Bobby il a répété. Il ne criait pas mais il parlait assez ford pour qu'on l'entende. Il a dit qu'il travailait pour M. Wings a Buffalo et que M. Wings serait venu lui mème mais qu'il avait 1 petit problème a régler et qu'il l'avait envoyé a sa plasse.

Alord allons y il a dit.

J'étais près a tout mais je devais doner 1 petit coup a Jaden.

Bobby parle bizare j'ai chuchoté. T'as entendu son nom sone comme Bébé.

Allez les gars! a dit Snocone.

Jello nous fesait des signes de la main. Zéké aussi. Alord on s'est aprochés et d'autres motos sont arivées et on étaient maintenent tous la au tour du poteau M du parking – les Possy et les Buffalos et les Angels. Les Buffalos portaient tous des costumes d'homme d'afaires et des lunetes de soleil qui brilaient et qui fesaient que leurs yeus resemblaient a des miroirs. Morgan et Xray ont ouvert le cofre de la bagnolle de Jello et ils sortaient les boites contenant les pièces de mécanique. Un des Angels a sortit 1 sac a dos de l'arrierre de sa moto. Jaden ma doné 1 petit coup.

Ce gars la il a chuchoté.

Qui tient le sac a dos? Avec les gans noirs?

Ouai.

Bobby parlait de Al Capoli. Al Capoli par ci Al Capoli par la. De ce qu'il avait envi de faire a Al Capoli. De ce que Rocko était en train de lui faire en ce momant.

Cobra a bougé son doit en me fesant signe de le rejoindre.

Moi? J'ai pointé vers moi. Oui il a fait de la tète.

Le gars de Buffalo a cessé de parler quant il ma vu.

C'est qui ce petit gars blanc?

C'est Bunny a dit Cobra.

Bunny avec le tatou. Bunny le petit blanc dans 1 bande de noirs. Vous faites les choses bizarement vous ici au Canada a dit Bobby.

Bunny c'est celui qui a trouvé Al Capoli a dit Cobra. Son frère a apelé de Jackfish.

Jackfish!

Bobby a craché le mot. Me parle pas de Jackfish! il a dit. Mosieur Wings est la bas en ce momant. Il esaye tout le temps de m'apeler mais il n'y arive pas parce que le résau ne se rend pas.

Il me regardait.

Il est la bas. Savez vous a quel point c'est loin ce bled perdu? Le savez vous?

Loin j'ai dis.

12 heures! Rouler d'un trou perdu a 1 autre trou perdu ça prend 12 heures! C'est ça le problème avec le Canada. L'endroit est trop grand. Et quant Mosieur Wings et les gars se seront occupés de ce rat d'Al Capoli il faudra qu'ils roulent tout le chemin du retour vers Buffalo en passant

encore a travert tous ces trous perdus. Qu'est ce qu'il y a?

J'esayais d'arèter de rirre.

Qu'est ce qu'il y a de si drole petit lapin blanc? a dit Bobby.

Tout le monde a fais chut pendans 1 momant et je pouvais entendre des mouetes dire Done moi Done moi et des sirènes faire *Bi Bou Bi Bou* et des banières qui claquaient au vent. Bobby n'était pas contant de voir que je me foutais de sa gueule. Il était aussi vieu que papa mais il n'était pas comme lui. On peut se moquer de papa. 1 jour il était telement en colerre qu'il crachait et ne pouvait pas parler de la bone fasson et Spencer s'était mit a cracher aussi et ils ont finis par rirre ensembles pendans 1 bon momant. Bled perdu j'ai dis a Bobby. Bled perdu c'est drole.

Et c'est la que tout a foiré et que plus rien n'était drole. Des bagnolles de police se dirigaient vers nous dans le parking. 1 2 6 7. Plus encore. 8 9. Elles arivaient de par tout. Je pouvais plus les conter. Les sirènes étaient fortes. *Bi Bou Bi Bou.* Plein de choses se sont passées super rapidement – comme Bobby qui nous traitait de rats et qui avait sauté dans son VUS et qui s'était dirigé droit vers 1 bagnolle de police. *Bang.* Et Jello les mains dans les airs et criant ne tirez pas. Et les Angels qui s'enfuyaient sur leurs motos avec les policiers qui les poursuivaient. Et Jaden qui m'atrapait par le bras et me disait de le suivre. On a courus a travers 1 foule qui criaient et les gens s'écartaient pour nous laisser passer et on est entré dans le centre comercial. Derrierre moi je pouvais entendre des sirènes et des bruis de frein et des axidents et des sons de portierres. J'ai demandé a Jaden ce qui se passait avec le deal et il a hoché la tète.

C'est foutu il a dit. Les flics ont tout découvert. On est tous morts.

O.

Je n'ai plus rien dit. On a croisés des magasins vendant des vètemens et des jouès et encore des vètemens et des livres. Des trucs de centre comercial quoi. Tout était normal et pourtant non. De la musique jouait et des gens fesaient leurs empletes et Jaden pleurait.

Ils sont la j'ai dis.

Ils sont la. Qu'est ce que ça veut dire?

Il s'est esuyé le visage. Tu as vu ce qui est arivé a mon frère? il a demandé.

Non.

Le centre comercial Sure Way est en forme circulère. On peut prendre 1 allé ou 1 autre. Quant on a vu le Angel avec le sac a dos Jaden a juré et a prit l'autre allé pour s'enfuir.

C'est quoi ton problème avec ce gars? j'ai demandé.

Tu te rapeles pas de lui?

Non.

Moi je m'en rapele.

On est arivés aux aquariums. J'aime toujour regarder a l'intérieur. J'ai pointé le poisson noir pour que Jaden le regarde. Tu le vois? je lui ais dis. Ils ont des najoires ébourifées alord ils resemblent a des nuages d'orage qui flottent.

Pas le temps pour ça Bunny.

T'as raison.

Devans la porte suivante il y avait des gens qui se trainaient les pieds sans sortir. On les a rejoins. Il y avait des filles qui nous regardaient. A peu près de notre age et mème plus jeunes. Il y en avait 1 qui était plutot grosse.

Hé les gars qu'est ce qui vous arive? elle nous a demandé.

Il y avait des coups de feus dans le centre comercial. Comme si des bandes se tiraient dessu. Persone n'avait le droit de sortir et il y avait des flics a l'xtérieur des portes devans nous.

Qu'est ce que c'est xcitan! elle a dit. Ma mère regarde les actualités et elle flipe!

Elle a souri a Jaden.

Mon nom c'est Quira et toi?

Ses amies nous fixaient du regard puis ils l'ont tiré au loin en lui chuchotant des trucs et en se retournant vers nous. Quira a crié et elles sont toutes parties en courant.

Je n'ai pas compris pourquoi mais Jaden oui.

Ces filles vont parler de nous aux flics il a dit.

Hein?

Elles savent qui on est. Allez! Et couvre ton bras.

Mon... O.

AU MILIEU D'1 ALLÉ

ON A CROISÉS 1 SALE DE BAIN et il y avait Snocone qui regardait au tour – seulement sa tète dépassait de la porte. Jaden ma tiré vers lui. Snocone respirait bruyament en disant des gros mots.

Qui l'a fait ? il a demandé.

Fait quoi ?

Coment ça se fait que les flics sont au courant du deal ? Coment ça se fait qu'ils arivés aussi vite ? Quelqu'un leur a dit. Quelqu'un nous a balancé.

Jaden ma regardé. Tu sais qu'il a raison hein ? il a dit. Ils nous atendaient. Ils étaient près durant tout ce temps. Quant on a tous été réunis ils nous ont sautés dessu.

C'est ce que pense Jello a dit Snocone. Quant je trouverai celui qui a fait ça je vais le tuer il a dit.

La sale de bain avait de grands murs et la voie de Snocone fesait *ping pong ping*.

Ou est Jello? a demandé Jaden.

Snocone a hoché de la tète.

Quelqu'un nous a balancé il a encore dit. Quelqu'un a parlé du deal aux flics.

Un des Angels a dit Jaden. Ou les américains.

Pas les américains a dit Snocone. Ils parlent pas aux flics d'ici.

Les Angels alord.

Ouai c'est eus les mauvais gars j'ai dis.

Peut ètre.

Ètre dans la sale de bain ma rapelé que j'avais envi. Je suis allé piser. Il y avait 4 places et j'ai choisi la plus loin.

On fait quoi maintenent? a dit Snocone. Les flics vont tous nous ramaser et quelqu'un va nous balancé encore. Quelqu'un qui va travailer avec les flics pour pas aller en prison.

Pas question j'ai dis.

Je fesais sécher mes mains.

Qui va nous balancer? Pas Jaden et pas moi j'ai dis. Pas toi ou Jello ou Cobra ou Aricot ou Morgan ou même Xray. On est les 15 j'ai dis. On vole ensembles. Pas vrai?

Ils m'ont regardé.

Quelque chose que mon grand-père me disait j'ai dis.

Les flics ont atrapé Morgan a dit Snocone. Je les ai vu. Ils ont aussi eus Aricot et Cobra et Xray dans le parking. On vendra jamai ces flingues maintenent.

Des flingues? j'ai dis.

Le deal est mort a dit Snocone. Les flics vont tous nous choper. Le seul qui va s'en sortir c'est celui qui nous a vendu. Le rat.

Des flingues? j'ai dis. Ils parlaient encore d'1 rat dans les Possy et de Jackfish et des flics probablemen la bas aussi. J'ai regardé dans le miroir et j'ai réfléchis a ce qui était en train de se passer. Des flingues. Wow.

C'est pas toi qui l'a fait hein Bunny? a dit Jaden. Son visage était tout crispé et tordu.

Hein?

T'as dit a Cobra que Al Capoli était a Jackfish. Scratch est parti la bas pour le retrouver et les

gars de Buffalo aussi – et c'est pour ça qu'il y avait
1 deal aujourdui. Il y aurait pas eu de deal sans toi.
As tu parlé aux flics ? Est ce que tu nous a balancé.
Il se tenait a coté de moi. Ses yeus était grands et
tristes dans le miroir. Les miens étaient petits et
vides. Je me suis frapé dans le miroir. Rien est
arivé au miroir. Mon point me fesait mal.

Est ce que c'est toi Bunny ?

J'ai fais non de la tète.

Je suis trop stupide j'ai dis.

On a laissés Snocone dans la sale de bain.
On est passés a coté d'un restorant de mufins et
1 magasin de bikinnis et 1 autre de vètemens.

Je ne savais mème pas a propos des flingues
j'ai dis.

Hein ?

Le stock dans les boites. Les flingues. Je savais
pas. Vous avez dit que c'était du stock. Je savais pas
que stock voulait dire flingues.

Cobra a trouvé tout 1 stock a dit Jaden. Les
flingues étaient dans 1 grange a la campagne ou
quelque chose comme ça. De vieu flingues mais
qui n'avaient jamai servis. Il les a acheté pour pas
cher a la femme qui avait la ferme. On voulaient
les vendre aux Angels et aux gars des Buffalos pour
qu'ils nous vendent d'autre stock. C'était comme
1 échange – ils avaient de la drogue et de l'argent

et on avaient des flingues. Tout le monde avaient son conte.

De la drogue? j'ai dis. Comme… de la drogue?

C'est ça le problème avec Al Capoli – il a foutu le camp avec la drogue de Rocko. C'est Cobra qui me l'a dit. C'est pour ça qu'ils l'apelent 1 rat.

J'étais complètement perdu. Je veus dire… Je savais ou j'étais mais j'étais perdu quant mème.

Alord les flics veulent nous choper parce qu'on vend de la drogue?

Non… Des flingues. C'est les gars de Buffalo qui ont la drogue.

Il a aussé les épaules.

Je peus pas croire que t'es en colerre Bunny. T'es 1 dur. Il faut que tu le sois – t'as traversé la prison des jeunes. T'es 1 d'entre nous. En plus… En plus tu as flingé quelqu'un. Qu'est ce qui t'arive maintenent?

Non je l'ai pas fais.

Qu'est ce que tu veus dire?

J'ai jamai tué persone.

Il ma prit le bras tout près du tatou de grand-père. Le tatou sur lequel je metais de la crème visqueuse. Le tatou que j'avais regardé des centaines de foies. 200. 1 000 foies.

Tu vois cette chandèle. Elle est alumée. Ça veut dire 1 cadavre.

Ah ouai?

Tu apartiens aux Possy de la rue 15 et tu as tué quelqu'un. C'est ça que le tatou veut dire. Tu as tué quelqu'un pour les Possy.

J'ai fais non de la tète.

Je n'ai jamai fais ça.

Pas maintenent mais quant tu étais en prison.

Je suis pas allé en prison.

Tu nous a dis oui.

Non. C'est vous qui l'avez dit.

Tu as du y aller avec ta mère. C'est ta caussion pour rester dehor.

Non j'ai dis. C'est ma mère.

On étaient en face d'un endroit qui vendait des lunetes. Il y en avait plein la fenètre – 1 magasin rempli de yeus qui nous regardaient. Des choses comencaient a faire sense. Les trucs a propos de la prison et moi qui fesais parti des Possy mème si j'étais blanc. Et aussi les flingues – *bang bang*. Merde Bunny jusqua quel point tu peus ètre con? j'ai pensé. Cobra au téléphone avec Buffalo. Jaden qui pensait que j'étais cool.

Ha.

Sauf qu'il y avait plein de choses que je ne comprenais toujour pas. Genre pourquoi le tatou de grand-père était le mème que le tatou des Possy ou qu'est ce que j'étais en train de faire dans le centre comercial avec mon meileur ami et avec la police au derrierre? Et est ce qu'il était mon meileur ami?

J'en savais plus qu'avan et pourtant je savais rien.

J'ai commencé a conter les lunetes dans la vitrine du magasin.

Bunny a dit Jaden. Je continuais a conter.

Tu me dis que tu ne fais pas parti des Possy? Qu'est ce que tu racontes? il ma dit. Qu'est ce que tu fais des tags qu'on a fais ensembles? Et les combats et toutes les promenades en bagnolle? Tu te rapeles ce que tu as dis dans la sale de bain? Ensembles on vole.

Il ma agripé.

T'as l'enkre Bunny. Les flics sont après toi. Qu'est ce que tu vas faire?

20 21 22 j'ai dis.

Qu'est ce que tu vas faire de toi et moi? On est des amis pas vrai? Pas vrai?

Je me suis éloigné de lui. J'étais beaucoud plus ford.

J'ai couru.

Hé Bunny… Reviens!

Je l'ai pas fais.

J'ÉTAIS... JE NE SAIS PAS CE QUE J'ÉTAIS.

CON J'IMAGINE. J'ai respiré. Le deal c'était des flingues et de la drogue et de l'argent. Je fesais parti des Possy. Je fesais parti du deal. J'ai respiré. Inspirasion 2 3 4. Je pouvais sentir le flingue dans ma poche. Je me rapelais du momant ou Jello m'avait doné le flingue et a quel point c'était cool. Je veus dire les flingues sont cools. Tu te sens ford avec 1 flingue. Ils sont super pour tuer des zombis.

Mais ce flingue la était diférent. Ici c'était vrai. Les flics me poursuivaient a cauze des flingues. Ils utilisaient leurs flingues parce que je vendais des flingues. C'était épeurant et déroutant et mauvais. J'ai respiré. Mon bras disait que je fesais parti des Possy. Cobra avait dit que je fesais parti des Possy. Jaden et Jello et Snocone et Aricot étaient mes amis. Mais je n'avais rien a faire la. Je n'avais jamai tué persone et je n'étais jamai allé en prison. Alord mon bras était 1 menteur et j'étais 1 menteur et je ne fesais pas parti des Possy et ces gars la n'étaient pas mes amis. Pas même Jaden. J'ai respiré et couru. Inspirasion 2 3 4.

J'ai entendu des cris. Des gens me pointaient du doit. J'avais le flingue dans les mains. Je l'ai laissé tombé et j'ai couru et je me suis dis c'est pas cool. Je devrais le cacher. Alord je suis retourné ou il trainait en tournant sur lui mème sur le plancher et je l'ai ramasé et j'ai continué jusqua ce que j'arive a la fontaine et je l'ai jeté de dans. Sauf que quant j'ai regardé dans la fontaine je pouvais le voir floter. Il était gros – comme une poile a frirre ou quelque chose comme ça. Alord je suis entré dans la fontaine et je l'ai ramassé et je l'ai remis dans ma poche et je me suis remis a courir. Je courais et je dégoulinais du bas des pantallons et je pleurais.

Ouai je pleurais. J'ai esuyé mes yeus et j'ai couru.

1 magasin de vètemens. 1 magasin de souliers. 1 autre magasin de vètemens. 1 magasin de télé. Je me suis arèté.

Les télés étaient tournées vers l'xtérieur alord on pouvaient regarder ce qui se passait et les gens au tour de moi disaient Wow et O mon dieu et des trucs du genre. Les télés montraient des photos du centre comercial. Il y avait le parking et le VUS et les bagnolles de police et les motos. Il y avait le poteau M. On étaient la quelques minutes avan. Les actualités parlaient de nous. Une ligne de mots défilaient sous les images.

RÈGLEMEN DE CONTES ENTRE BANDES DANS UN CENTRE COMERCIAL DE L'OUEST DE TRONTO.

Toutes les télés en parlaient. Je l'ai vu 4 5 6 7 8 foies dans la vitrine. Je regardais chaque télé. Elles montraient toutes des images de policiers avec des boucliés et des masques. Et 1 gars était étendu au sol.

Hé c'est Bobby j'ai crié et les gens se sont tournés vers moi. Quelqu'un a pointé mon menteur de bras avec le 15 et la chandèle. Je savais pas quoi faire alord j'ai couru avec mes pantallons mouilés qui claquaient sur mes jambes. En prenant le virage suivant j'ai vu 2 policiers au loin et j'ai tenu mon flingue au dessu de ma tète et j'ai couru dans leur dirextion en criant au secour et hé et j'abandone et ils sont devenus tout xcités et ont sortis leurs flingues et les ont pointé vers moi.

Alord j'ai commencé a courir vers la d'ou je venais et je suis passé devans le magasin de télé sauf que la j'ai tourné dans 1 autre direxion et je suis passé devans 1 magasin avec des papiers dans les vitrines qui fesaient qu'on voyaient rien à l'intérieur. Sur les papiers on pouvaient lire BIENTO OUVERT et la porte était 1 peu ouverte alord je l'ai poussé et je suis entré. L'endroit était vide. J'étais tout seul et je pleurais dans 1 magasin vide. J'ai conté mon soufle pendans quelques instants et j'ai sorti mon téléphone et j'ai apelé maman et Spencer. Pas de réponse. Au fond du magasin j'ai trouvé des boites comme celles qui contienent des laveuses et des sécheuses. J'ai lancé mon flingue dans une boite. Et je me suis caché derrierre elle quant les Angels sont entrés.

Ouai c'est ça. Moi derrierre 1 boite et 3 Angels dans la pièce. Ils disaient pas grand chose sauf des gros mots. Ils voulaient savoir ce qui avait foiré tout comme Snocone. Quelqu'un nous a vendu comme des pièces de merde. Quelqu'un de la rue 15 a parlé aux flics.

Ils utilisaient souvant 1 mot. Je me demandais si l'un d'eus était noir et coment il se sentirait en entendant ce mot. Ils étaient probablement tous blanc.

J'ai pensé a moi. J'avais foutu le camp donc je n'étais plus dans les Possy maintenent et je n'aimais pas ça. Les drogues et les flingues ce n'étaient pas bien mais être tout seul ce l'était pas non plus. Jaden avait été mon ami. Merde je n'aimais pas plus avoir d'ami non plus.

Les Angels parlaient d'1 gars qui s'apelait Butch. Butch avait le fric dans 1 sac a dos ils disaient. Butch était plutot brilant. Il allait trouver 1 moyen de planquer le fric pour que les batars de la 15 le trouvent pas.

Je n'aimais pas les entendre dire des mots comme ça a propos de nous les gars de la 15 alord j'ai du faire 1 bruit. Ils l'ont entendus et ont fouilés et m'ont trouvés. C'était tous des blanc pour sur – avec des manteaus noirs et des cheveus longs comme des fils. Un d'eus avait 1 barbe sur le menton qui resemblait a un autocolant. Quant ils ont vus mon tatou ils se sont mis a me crier des noms d'oizeaus et ont dit que les Possy avaient tout ruinés. Je suis pas avec les Possy j'ai dis mais ils m'ont pas crus. Ils m'ont sautés dessu et la bagare a comencé.

3 contre 1 c'est dur. J'ai atrapé le pied d'un des gars et je l'ai repoussé. Les 2 autres me frapaient. J'ai évité 1 coup de point et mais j'en recu un autre. J'ai doné 1 coup de pied comme Morgan me l'avait aprit et un gars est tombé. Un autre

gars ma frapé a la gorge mais pas trop ford. Je me suis tourné sur le coté et j'ai atrapé le point d'un gars et ça lui a fait mal. O il a dit. J'ai couru vers la porte mais quelqu'un ma foutu par terre par derrierre. Je me suis relevé mais 2 gars me cognaient dessu avec leurs pieds. J'ai atrapé 1 des pieds et je l'ai balancé aut dans les airs et le gars est tombé mais l'autre gars ma cogné au genou et je suis tombé et ils était tous la a me doner des coups de pied. Ça fesait mal. Un des gars avait des botes de cowboy. J'ai arèté de me batre et j'ai esayé de me protégé avec mes mains. Ça a continué comme ça pendans 1 momant et après j'ai entendu 1 voie que je conaisais.

Foutez le camp elle a dit. Foutez le camp maintenent ou je tire.

J'ai levé les yeus. Je vous préviens je suis sérieus. Putin de batars éloignez vous de lui.

C'était Jaden. Il se tenait dans le cadre de la porte. Il pointait son flingue vers les Angels. Aucun d'eus n'avait de flingue – juste Jaden. Il était plus petit que tout le monde mais le flingue fesait toute la diférence. Il le tenait a 2 mains. Le bout du canon était imobile.

Tu tireras pas a dit le Angel avec la barbe en autocolant.

A ouai ? a dit Jaden.

T'oseras pas.

A ouai ?

Il a tiré dans la boite a l'arrierre. Les Angles ont sursautés. Moi aussi – c'était telement ford et surprenant. Jaden a pointé le flingue a nouvau vers eus.

J'étais debout. J'avais mal aux cotes a cauze des botes de cowboy. Salut Jaden j'ai dis.

Salut Bunny.

J'étais en colerre contre les Angels parce qu'ils m'avaient fais mal et parce qu'ils avaient dit de mauvaises choses contre nous. Et j'étais contant de voir Jaden. En fait j'étais heureus.

Viens ici il ma dit.

C'est ce que j'ai fais.

Ça va ?

Ouai.

Le Angel avec la barbe a dit que si il tirait encore les flics allaient l'entendre.

J'ai pas peur du bruis a dit Jaden. Vous fesiez du bruis quant vous tapiez sur Bunny. Je vous ai entendu. C'est pour ça que je suis ici. 3 contre 1 c'est du courage ça. Ça prend 3 Angels pour esayer de batre 1 Possy.

Ils ont rien dit.

On se tire maintenent. Laissez nous tranquiles. Persone ne décone avec les gars de la rue 15. Viens Bunny.

Il y avait 1 banc devant le magasin BIENTO OUVERT et on l'a coincé contre la porte. Comme ça les Angels ne pouraient pas sortir pour 1 bout de temps.

On a courus. Je n'ai pas pensé a me séparer de Jaden et lui non plus.

Merci j'ai dis.

Ouai ouai.

On continuaient de courir.

Pourquoi t'as foutu le camp? il ma dit. C'était a cauze des flingues?

Je savais pas coment xpliquer.

Les flingues et la drogue et mon bras qui ment. Moi qui étais dans les Possy et après qui n'y est plus. Toi et moi amis et qui l'étaient plus. C'est tout – vraimant tout je lui ais dit.

Il a fait oui de la tète. C'était tranquile ou on étaient – persone qui criait. Je pouvais entendre la musique jouer dans le centre comercial. Je conaisais la chanson. Baby Baby quelque chose.

Les flingues sont pas juste mauvais a dit Jaden. C'est 1 bone chose que j'en avais 1 sinon tu serais encore en train de te faire taper dessus.

Ouai j'imagine que t'as raison.

On est arivés a la fontaine ou je m'étais mouilé le pantallon. Il y avait 1 banc alord on s'est assis. Jaden ma parlé de sa mère. Elle était quelque part très loin et elle fesait du temps – 48 mois et elle avait fait la moitié de son temps et c'est pour ça qu'il vivait avec sa grand-mère.

Je n'ai rien compris a propos du temps mais j'ai fais oui de la tète.

Je déteste ça chez ma grand-mère il a dit. Elle me force a m'abiller et a aller a l'église et elle prie pour moi tout le temps. Cobra m'avait dit que je pourais habiter avec lui après le deal parce qu'il aurait déménagé dans 1 plus gros logement. J'aurais eu ma chambre a moi et tout. Sauf que la Cobra va aller en prison comme ma mère et je vais devoir rester chez ma grand-mère.

Il a soupiré. C'est horible.

J'ai compris a quel point les flingues contaient pour lui. Avec l'argent qu'on au-raient fait en les vendant les Possy auraient pu continuer de glander au jym et Jello aurait pu continuer a s'entrainer et Jaden aurait pu vivre avec son frère au lieu de rester chez sa grand-mère. Et maintenent rien de tout ça allait se passer.

Et faire du temps voulait dire faire de la prison. Comme la mère de Jaden. Pas étonant qu'il avait l'air triste.

J'ai mis ma main sur son épaule. C'est horible chez ta grand-mère mais ça pourait ètre pire.

Ah ouai? Coment?

Si ils nous attrapent.

Ouai il a dit. Alord la on ira en prison. Ouai ça pourait ètre pire.

La fontaine s'est arèté. Ça fais ça des foies. Je pouvais entendre la chason faire *ooo ooo ooo.*

Tu m'as manqué Bunny il a dit. Quant tu t'es enfui.

Ouai moi aussi. Les flingues c'est mal pas vrai. Sauf que les flingues aidaient mes amis des Possy et le flingue de Jaden m'avait sauvé des Angels. Alord les flingues étaient mals sauf quant ils l'étaient pas.

ON A L'AIR CONS A DIT JADEN

AVEC TON TATOU ET MES PANTALLONS DÉCHIRÉS. On a l'air de 2 gars qui ne devraient pas être ici. Tout le monde nous regardent il a dit.

Est ce qu'on peut changer de look? j'ai dis. Je pourais changer le look de mes cheveus. Et toi tu pourais…

Il ma atrapé la main.

Qu'est ce qui se passe?

T'es 1 géni Bunny.

Pas du tout.

Allez viens il ma dit. Le magasin de sports est juste la.

Il a tiré et j'ai suivi. Je ne suis pas 1 géni j'ai dis.

Oui t'en est 1.

Il y avait des escaliés roulans pour monter et pour descendre. En aut de l'escalié on est tombés sur le Angel avec les gans. Il a essayé de me fraper. J'ai atrapé son bras et il nous a traité Jaden et moi de quelque chose. Vraimant. Premierre foie que je me fesais traiter de ça. Tout près de moi et sans son casque de moto je pouvais voir sa coupe de cheveus brilante et j'ai su qui il était et pourquoi Jaden avait les sourcis froncés en le regardant.

Persone emerde mon pote j'ai dis.

Il était dos a moi et j'ai tordu son bras encore 1 peu et il a trébuché et s'est planté au bas des escaliés. Il est resté sur le dos 1 momant et s'est relevé.

C'est la deuzième foie que tu te le fais a dit Jaden.

Sur le dos de son manteau il avait le signe des Angels et le nom Butch.

Butch je me suis dit. T'as entendu de quoi il nous a traité? j'ai demandé.

Ouai.

Jaden a ri et ma poussé dans le magasin. Ça fesait du bien de l'entendre rirre. Et de plus ètre seul.

Les gens du magasin se tenaient dans la vitrine et regardaient dehors. Les vètemens était empilés. J'ai pris 1 pantallon et 1 chemise et j'ai réfléchi… 1 chapau. Il y avait 4 crochets sur le mur de la cabine d'esayage. Je les ai conté et conté encore. 4. J'ai mis les nouvaus vètemens et j'ai laissé mes vieu sur les crochets. J'ai regardé dans le miroir. Est ce que c'était moi? Ouai. J'ai pris 1 pauze. Ouai. J'ai remonté les manches et je les ai descendues. Je n'aimais pas les manches longues mais les flics cherchaient 1 tatou.

Mon téléphone a soné dans ma poche sur le crochet. C'était ma mère.

Bunny? T'es ou? elle ma demandé mais elle ne ma pas laissé le temps de répondre. Je suis au magasin de téléphone et on ma doné 1 nouvau numéro. Je ne peus pas garder l'ancien. Alord maintenent tu as le nouvau numéro. C'est sur ton téléphone.

O j'ai dis. Ouai.

Reste en lien elle a dit. Perd pas le nouvau numéro.

J'ai pensé lui dire ce qui était en train de se passer mais je savais pas par ou comencer. Je me suis rapelé que je devais rester près de la maison et pas au centre comercial. Et puis elle avait racroché.

J'ai mis le téléphone dans ma poche.

On a cognés à la porte de la cabine. J'ai ouvert et c'était 1 employée du magasin. Elle est entrée.

Ça te va bien Bunny elle a dit. C'est diférent. Les manches longues. Le chapau est super aussi. C'est bien.

Elle ma sourit. Je ne savais pas coment elle conaisait mon nom.

Alord qu'est ce que t'en penses? elle ma demandé.

J'ai hoché la tète. Je ne comprenais pas de quoi elle parlait.

Tu ne me reconais pas?

Et la j'ai compris. Tu es…

Je me suis arèté et j'ai recommencé.

C'est toi? j'ai dis.

OUI ELLE A DIT.

JE SUIS JADEN. Et elle l'était – je pouvais l'entendre. Elle sonait comme Jaden. Mais elle avait l'air d'une fille. Elle était Jaden dans des fringues de fille.

Wow j'ai dis.

Bon déguisement hein?

Ouai.

Elle portait 1 aut rayé bleu et blanc. Sa jupe et ses chausetes aux genoux étaient bleu aussi. J'imagine que je devais pas dire elle – Jaden était encore 1 gars. Un gars qui portait une jupe. Un gars avec une jupe bleu. Un gars.

Qu'est ce que tu fais maintenent?

Il avait son couteau a cran d'arèt dans la main. Il a coupé les étiquettes de plastiques acrochées a mes vètemens. Il a du déchiré le bas de ma chemise mais je l'ai mis dans mes pantallons alord ça se voyait pas.

On veut pas entendre l'alarme soner quant on va sortir du magasin hein? il a dit.

Hein? j'ai dis.

Il a rangé son couteau dans 1 poche de sa jupe et s'est placé a coté de moi comme ça on pouvaient se voir dans le miroir. Il a joué dans ses cheveus pour les faire tenir dans les airs.

T'as 1 drole de look j'ai dis.

Ta gueule.

Le magasin de sports avait des trucs pour le camping et la natassion et le joging. Les manequins avaient tous des bras et des jambes mais pas de tète. Bizare non? Une femme fesait comme si elle jouait au tennis mais elle n'avait pas de tète. Coment elle pouvait voir la bale? Les paneaus anoncaient SOLDE D'ÉTÉ et 50% DE RABAI et des choses comme ça. On est descendus au ré de chaussé en croisant 1 scène ou se trouvait 1 tente de camping et 1 feu de camp et 1 papa et 1 maman et des enfans. Je me suis arèté pour regarder. Les arbres avaient des feuiles. La mère avait 1 sac a dos. Le feu crépitait. Tout avait l'air telment vrai. Mais le seul qui avait 1 tète c'était le cerf dans le fond de la scène. Jaden ma dit de me grouiler.

Ils font rotir des sausises j'ai dis. Coment ils vont les manger? Ils ont pas de tète?

C'est a ce momant la qu'on a entendu des coups de feus. 1 2. Et un cri. On est sortis a toute vitesse dans le centre comercial et il y a eu d'autres cris et un autre coup de feu. Les gens sortaient des magasins en disant avez vous entendu? On étaient en aut et on a regardés en bas de la rambarde et on a écoutés le son des coups de feus plus loin.

Bang ang ang. Bang ang ang.

Un gars est monté en courant et il portait des gros souliers pour les vieu. Il était pas vieu mais ses souliers oui. Il avait son nom sur son t shirt. David. Ils tirent David a dit. La police et des bandes se tirent dessu. Ils ont tiré sur mon patron dans mon magasin.

David s'est enfui et on l'a suivis – moi et Jaden et tout le monde. Quant on est arivés au cinéma les gens qui atendaient dans la file ont comencés a courir ce qui fait qu'il y avait beaucoud de gens qui couraient. La fille a coté de moi a renversé son sac de popcorn – a chaque pas elle en renversait 1 peu plus. On a courus jusqua ce qu'on entendent des coups de feus devans nous et on s'est arètés et on a tous commencés a courir vers la d'ou on venaient. Comme ces oizeaus qui volent ensembles dans le ciel. Comme ça. On a couru jusqu'au cinéma et la on s'èst arètés encore.

Une ligne en bleu s'amenait vers nous. Des flics. Beaucoud de flics. On les a regardés entrer dans 1 endroit et resortir après et entrer dans 1 autre endroit plus près de nous. Ils fouilaient le centre comercial.

Qu'est ce qu'on fait? a dit Jaden. Qu'est ce qu'on fait Bunny? On ne peut plus courir nul part maintenent.

On pourait aller voir 1 film j'ai dis. Je veus dire comme on est la.

Jaden ma tiré de l'autre coté de la corde souple. Persone achetait de bilet. On a courus en passant devans le guichet et ensuite dans l'allé et on est entrés dans la premierre sale. Jaden était devans moi. Il avait l'air bizare dans des fringues de fille.

NIKKI LA FLIC
EST REVENUE

DANS LA PIÈCE OU J'ÉTAIS EN TRAIN D'ÉCRIR. Il y avait 1 gars avec elle. Elle l'apelait patron et me l'a présenté. Il avait ces trucs qui servent a tenir les pantallons. Coment ça s'apele? En tout cas il en avait. Ses souliers étaient brilants.

Il s'est penché sur la table ou j'écrivais et il a croisé ses bras.

Sergen Nolan dit que tu travailes très ford mon garson il ma dit. T'écris ce qui s'est passé cet après midi pas vrai?

Oui j'ai dis.

Il a fait oui de la tète et il a dit quelque chose que j'ai pas compris. Mes oreiles bourdonaient encore 1 peu. Je lui ais demandé de répéter.

On a besoin de ton aide mon petit gars il a dit en criant presque.

Vous avez perdu quelque chose? je lui ais demandé.

Quoi?

Ma mère a besoin de mon aide quant elle perd des trucs. Je suis bon pour retrouver les trucs.

Il a regardé sergen Nikki. Elle a aussé les épaules. Ensuite il ma regardé encore.

Ouai j'ai perdu quelque chose il ma dit. J'ai perdu mon témoin clé. Il travailait pour nous et la il est en train de mourir. Tu vois de qui je parle mon petit?

J'ai fais non de la tète.

Mais oui tu sais. T'étais la quant c'est arivé.

Il a froncé les sourcis. Ses gros pousses étaient derrierre ses bretèles. La lampe au dessu de la porte était entourée d'une cage. Comme un masque de hockey. Bizare non? Je ne l'avais pas remarqué jusque ici.

Je veus que tu sois mon témoin il a dit. Je veus que tu identifies quelques mauvais gars pour moi. Est ce que tu peus faire ça?

Identifie? Comme dans qui ils sont?

Oui mon petit. C'est xactement ça. Qui ils sont. Je veus que tu prennes la plasse de Jackson. Il travailait pour nous et maintenent je veus que ce soit toi. J'ai besoin de metre quelqu'un en prison et j'ai besoin d'1 témoin pour m'aider.

O j'ai dis. Vous ètes sur que vous voulez pas que je vous aide a trouver quelque chose? j'ai demandé. Un stylo ou des clés? Ma mère perd tout le temps ses clés de bagnolle.

Sergen Nikki et son patron sont allés parler 1 momant dans 1 coin. Je ne pouvais pas entendre ce qu'ils disaient mais je savais qu'ils parlaient de moi et qu'ils étaient pas contants.

Mary Lee resentait la mème chose a propos de moi. On étaient tous les 2 dans la pièce de théatre de l'école en quatrième anné. Elle était la princesse et j'étais le prince et sur la grande scène je devais m'aprocher et l'embraser. J'étais le prince parce qu'aucun autre gars voulait l'ètre mème si Mary Lee avait demandé et demandé. On a répétés la scène encore et encore et j'arètais pas de me tromper – au momant de mon aproche ou du baisé. J'ai du embraser Mary Lee au moin 10 foies et ça fesait beaucoud de baisés. A la fin elle s'est mit sur les genous et a dit au professeur qu'il fallait arèter maintenent. Elle a frapé la scène avec sa main et a dit que je ruinais la pièce. Le professeur était d'acord. Elle ma sourri et elle ma dit qu'elle allait esayer de réfléchir a 1 fasson de rendre ça simple pour moi. Persone dans la classe me regardait. Ed et les autre se sont mis a rirre et on comencé a se taper dessu avec leurs épées en quarton. Je me tenais de-bout au milieu de la scène dans ma cape et mes botes et j'ai conté les plis dans le rideau.

Le patron était en colerre contre moi comme Mary Lee. Je ruinais ses plans. Lui et Nikki par-laient de Jackson qui était peut ètre en train de mourir a l'hopital. Tout ce qu'ils avaient c'était moi et j'étais pas bon. Il est parti sans dire aurevoir et sergen Nikki ma amener voir maman. Elle était dans 1 sale d'atente avec 1 visage inquiet et 1 télé-phone celulaire. Elle a demandé si j'avais fini maintenent. J'ai dis que j'étais encore en train d'écrir. Elle a hoché la tète et a dit O Bunny. Elle a dit ça plusieurs foies. O Bunny.

Il y avait 1 formulère. Maman l'a signé en vitesse comme elle le fait toujours avec les formulères.

Tu les aides Bunny? elle ma dit. Tu réponds a leurs questions et tu leur dis ce qui s'est passé?

J'esaye j'ai dis.

Nikki a emené maman dans 1 coin et elles ont discutés 1 minute ou 2.

Ètes vous sur? a dit ma mère. D'acord. Je vais faire 1 apel. Je continue de penser que toue ça est 1 grosse ereur elle a dit. Bunny ne savait pas ce qu'il fesait. Tu sais rien pas vrai Bunny?

Je sais plein de choses j'ai dis.

Non tu sais pas beaucoud de choses! elle a crié. Non!

J'ai demandé a Nikki a qui ma mère allait téléphoner.

Un avocad elle a dit.

Pour moi?

Pour toi.

On étaient de retour dans la sale d'écriture. Elle a regardé la table avec ma pile de feuilles jaunes.

T'as bientot finis?

Ouai j'ai dis.

Bien. Continue.

C'était soir de spectacle et le jym était rempli de mamans et de papas. C'était le temps de la grande scène. Mary Lee a tendu la main pour sérer la miene. C'était l'idé du prof – pour que je rate pas le baisé. Ça ne me dérangait pas. J'ai traversé la scène en sotilant avec ma main tendue vers l'avan – sauf que j'ai trébuché dans mes grosses botes de prince et je suis tombé face contre terre. O ça ma fait mal. Mary Lee a hurlé. Il y avait du sang qui me sortait du nez et il y en avait par tout sur le sol et sur ma chemise. Ils ont tiré le rideau et tout le monde a aplaudi.

Ça s'oublie pas ce genre de chose pas vrai?

ON EST ALLÉS

AU MILIEU DU CINÉMA. Il fesait noir et c'était bruyant. Jaden ma tiré vers 1 rangé vide et on s'est assis. Le film en était a 1 momen xcitant. Le gars dans le film traversait en courant 1 rue très ocupée et avait faili se faire rentrer dedans par 1 camion. Après il a couru dans 1 parking et le long d'une ruele. Il a grimpé une cloture. Il avait une veste blanche a rabas et une coupure en dessou de l'œil et il respirait ford. La musique fesait *deedeedee-deedeedee* et me fesait mordre les lèvres très ford.

Jaden s'est penché vers moi et ma demandé si j'avais entendu quelque chose.

Quoi?

Quelque chose a l'xtérieur.

Non.

Le film continuait. Les mauvais gars couraient après le gars en veste blanche. Ils lui ont crié quelque chose. La musique est devenue plus forte. Le gars a couru vers le bas dans des escaliés et est entré dans le métro et les portes se sont fermées et il est partit. Après c'était le jour suivant et il buvait 1 café dans son apartment. Il avait toujour sa petite coupure sur la joue mais elle avait l'air OK. En fait elle avait l'air vraimant bien. Ses cheveus était mouilés a cauze de la douche. Il y avait de la belle musique comme ça on savait que rien de grave allait se passer.

Et la? a chuchoté Jaden.

J'en sais rien on a raté le début du film.

Je parlais de nous.

O.

Le gars avec la coupure est allé répondre a la porte qui venait de soner et c'était encore les gars méchans – qu'elle surprise. Ils avaient leurs flingues dans les mains.

O non j'ai chuchoté.

Jaden s'est retourné sur son siège. Il y avait 2 faisseaux de lumière qui venaient d'une lampe de poche derrierre nous. Elle descendait le long des rangés dans le cinéma. Des flics – je pouvais voir leurs casquetes. Ils s'aprochaient. Je pouvais les entendre chuchoté.

C'est libre ils disaient. Libre.

Merde.

Notre rangé était la prochaine. Je pensais a toute la course que Jaden et moi on avaient fait aujourdui. Maintenent il n'y avait plus nul part ou courir et nul part ou se cacher. Les flic veraient nos visages dans 1 minute.

Jaden s'est penché vers moi.

Prend moi il ma chuchoté.

Quoi?

C'est pour faire semblant. Allez Bunny.

Quoi?

Et il a mit son bras au tour de mon coup et ma tenu séré et il a gardé sa tète près de mon coup. Et on étaient assis tous près de l'autre dans le ci-néma comme si on étaient – vous comprenez.

Ouache.

Je pouvais plus voir le film mais il y avait beaucoud de cris. La musique était comme pointue – CRAK! PONKA! SQUIK! PONKA PONKA! Dans le genre.

Relax ma dit Jaden.

Son soufle était dans mon oreile. C'était telment bizare.

Ou est ce qu'ils sont? j'ai demandé.

Chut. Parle pas.

Mais je veus…

Il a tiré ma tète vers le bas. Avec ses lèvres sur les mienes je ne pouvais plus parlé. Je suis plus ford que lui alord j'aurais pu me dégager mais il avait enroulé son bras au tour de moi et me retenait. Je ne pouvais pas m'en sortir.

Mm j'ai dis.

Mm il a dit.

Et on était comme en train de s'embraser et je voulais m'en sortir sauf que les 2 policiers étaient a coté de nous avec leurs lampes de poche. Et le film continuait.

J'ai conté inspirasion 2 3 4 et xpirasion 2 3 4. Je devais respirer par le nez parce que ma bouche était comme ocupée. Mes yeus était fermés. J'ai entendu les 2 flics rigoler et dire merde regarde ces 2 la. Et libre.

Et je savais quelque chose a propos de Jaden.

On a continué de s'embraser jusqua ce que les coups de feus comencent.

DANS LE FILM

LES MÉCHANS GARS tiraient sur le gars a la coupure. Et quelques rangés devans nous 1 gars avec un manteau de cuir courait vers l'avan et la police lui demandait de s'arèter ou alord ils allaient tirer et le gars s'est pas arèté et il y a eu un éclaire jaune très brilant et un boum et c'était la police qui tirait. Et le gars a esquivé le coup et il y a eu 1 autre éclaire et il leur tirait dessu. Et il y a eu 1 autre éclaire de derrierre sur la gauche et 1 autre d'en bas et quelque chose est passé au dessu de ma tète. Il y a eu des cris et d'autres coups de feus dans le cinéma et sur l'écran et je ne pouvais plus entendre grand chose.

Et la les lumières se sont alumés et la pièce était remplie de fumé et ça sentait l'alumete ou non plutot comme le feu de camp qui brule a la maison de campagne. Je me demandais si on le ferait cette anné. Probablement pas. Mais c'est ça que ça sentait après la fuzilade. Le début de l'été. Les flics se tenaient a l'avan et a l'arrierre de la sale avec leurs flingues dans les mains et leurs bouches ouvertes qui criaient. Des gars étaient étendus par terre avec d'autres policiers par dessu eus. Les gens esayaient de voir ce qui se passait par dessu le dossier de leurs chaises.

Je contè. 4 5 6 7. Les taches de rouseur dans le visage de Jaden. Je n'avais jamai pensé a des taches de rouseur sur le visage d'un noir mais Jaden en avait et je les contais. Sur le frond. Les joues. 8 9 10 11 12 13. Les lèvres de Jaden bougaient. Je ne l'entendais pas. Des petits points de taches de rouseur avec 1 plus petit point au milieu. L'autre joue. 13 14 15.

Le film s'est arèté. J'ai perdu le conte alord j'ai recomencé. Mes oreiles allaient mieu. On a marchés vers l'xtérieur du théatre avec nos mains en l'air. Il y avait des vieles persones et elles arivaient pas a garder leurs mains en l'air et la police leur a dit que c'était pas grave et qu'elles pouvaient garder leurs mains en bas. On a tous formés 1 ligne et on a marchés vers l'xtérieur du cinéma et on a croisés les cordes de velour et il y avait encore plus de policiers. Les gens pleuraient et tremblaient.

Ou est ton chapau?

Jaden a du me le dire 2 foies avan que je comprene.

J'ai hoché la tète.

Est ce que t'as vu le gars mort. L'Angel? Tu sais qui c'était?

J'ai hoché la tète a nouvau. Je regardais les souliers de Jaden. C'était les mèmes que ce matin. Que hier. Les mèmes souliers mais Jaden était diférent.

La police nous a gardés en ligne. 1 par 1. On est passés lentement devans l'endroit ou ils vendent des bilets – le guichet je veus dire. La porte du guichet était ouverte et il y avait des policiers de chaque coté de la porte et 1 rideau. On est passés devans.

Quant je suis arivé a la auteur du guichet la police ma demandé de m'arèter. Un policier a pointé son flingue vers moi et ma demandé de sortir de la ligne. Il ma demandé mon nom et je lui ais dis. Il ma demandé de relever mes manches et je l'ai fais. Jaden s'est retourné pour me regarder. Comme d'autres qui avaient dépassés le guichet. Une viele femme a demandé qu'est ce qu'il y avait derrierre le rideau. Elle a demandé plusieurs foies.

Tu fais partis des Possy de la rue 15? le policier ma demandé.

Euh j'ai dis.

Je veus voir! a dit la femme. Je veus voir!

Elle est sortie de la ligne et s'est dirigé tout droit vers le rideau en parlant. Sa voie était tremblante comme 1 yoyo ou un pouding. Je savais qui elle était maintenent – la viele dans l'autobus quant on est arivés. Délicate. Elle a poussé le rideau avec ses mains d'araigné. Et persone l'a stopé parce qu'elle était viele j'imagine et parce qu'ils étaient surpris et parce qu'ils me regardaient moi.

Il y avait 1 gars que je conaisais derrierre le rideau. J'ai dis salut. Sa chemise noire était foncé sous ses bras. Sa bouche restait ouverte. Il avait l'air mort de fatigue. Il ma fait salut de la tète.

Tu conais ce gars la Jackson? a demandé le flic qui pointait son flingue vers moi.

Ton nom c'est Jackson? je lui ais dis.

Ouai. Jello Jackson?

Il s'est tourné.

Ouai Bunny.

O.

Une policière esayait de faire tirer Délicate du chemin et Délicate se débatait en marchant sur ses botes et agitant ses bras dans tous les senses. Je me demandais ou la brutte avec le chapau rouge pouvait bien ètre. Peut ètre qu'elle était a l'intérieur du cinéma. Peut ètre qu'elle s'était fait tuer comme l'Angel. Délicate disait a la policière qu'elle était cinglé et les gens les regardaient.

Le policier ma dit que j'était en état d'arestation.

Je pensais au passé. Dans le sou sol de Snocone quant les gars ont crié Jackson. Dans la bagnolle de police quant le gars sur le siège avan m'avait demandé si mon nom c'était Jackson. Jackson c'est 1 ami a nous qu'il avait dit et l'autre flic lui avait dit de fermer sa gueule.

Il parlait de Jello.

Tout ce temps la Jello était resté imobile comme 1 statu. Noir et calme et sans xpression. Ses bras pendaient le long de son corp. Sa bouche lui traversait le visage comme 1 bar de métal droite.

Mon policier ma demandé de me metre a plat ventre par terre. Délicate a doné 1 coup au menton de la policière avec l'arrierre de son crane. La flic a trébuché et est tombé vers l'avan et Délicate s'est trouvé libérée. Et Jaden a comencé à courir vers Jello en sortant son flingue. J'ai bougé sans réfléchir et sans m'arèter et sans rien. Jello et moi on a pris la main de Jaden en mème temps. Alord on étaient 3 a tenir le flingue en mème temps. Je sais pas qui a apuyé sur la gachete. La première bale s'est perdu dans les airs et a touché

1 genre de lampe qui a xplosé en fesant plein d'étincèles. Jello s'est retrouvé libre 1 instant et je l'ai fais trébucher et on est tombés tous les 3 et on a roulés et roulés et rentrés dans Délicate et la policière est tombée aussi. Alord on étaient tous emèlés sur le plancher a coté du guichet pour les bilets. Jaden criait aprè Jello et le traitait de rat et disait qu'il nous avait vendus. Délicate était entre moi et Jello mais je me foutais d'elle et de la policière qui s'était retrouvé en dessou de nous tous. Je me batais pour récupérer le flingue. J'avais peur que Jaden tire sur Jello et que Jello tire sur Jaden. J'avais plus peur de ça que de tout le reste.

J'avais envie de demander a Jello – est ce que tu nous as vraiment vendus? T'étais avec les flics au téléphone tout a l'heure dans le parking? C'est pour ça qu'ils sont arivés si vite? Et j'avais envie de lui demander pourquoi?

Mais toute la bagare a seulement duré quelques secondes de plus et j'ai pas eu le temps de lui demander quoi que ce soit. J'ai poussé la main de Jello loin de Jaden et Délicate l'a atrapé et il est devenu chatouileus et il a laché Jaden. Et Jaden a prit le flingue et l'a pointé vers le bas ce qui fesait qu'il était maintenent dirigé vers le nombris de Jello. Je l'ai attrapé juste avan qu'il tire.

Le coup de feu a été plus doux que les autres. Comme 1 son de *plop*.

On étaient emèlés tous ensembles sur le sol – moi et Jaden et Jello et la viele femme et la policière. Le visage de Jaden était près du mien.

Jello t'a pas reconu quant t'es passé a coté de lui j'ai dis.

Non.

Persone sais qui tu es j'ai dis. Ils me conaisent mais pas toi. Tu peus t'en sortir.

Le flingue a dit Jaden.

J'ai le flingue j'ai dis.

J'ai tiré sur Jello.

Vraimant? j'ai dis.

Je ne sais pas ce qui s'est passé après. C'est le brouilard.

J'AVAIS FINIS.

JE NE VOULAIS PLUS JAMAIS ÉCRIR DE MA VIE. Et il était tard genre minuit. Sergen Nikki a ramasé mes feuiles jaunes couvertes de ma mauvaise écriture et elle est allée a son bureau pour lire. Je suis allé a la sale de bain avec 1 policier qui m'atendait a l'xtérieur. Quant je suis retourné dans la pièce maman était la avec 1 avocad pour moi. Pas l'oncle de Jaden qui voulait pas que je lui parle de quoi que ce soit. C'était l'avocad de grand-père. Il portait 1 complet et 1 cravate et des cheveus fins. Salut Bernard il ma dit et on a discutés lui et moi et maman.

Les choses sont sérieuses il a dit.

La police savait que j'étais dans 1 bande et qu'on dealaient des armes et de la drogue avec d'autres bandes et qu'il y avait eu 1 fuzilade au centre comercial et que je fesais parti de tout ça. Il a xpliqué le role de rat joué par Jello sauf qu'il a pas dit que c'était 1 rat mais il a dit que c'était 1 indicateur pour la police. Maintenent Jello était a l'hopital et était peut ètre en train de mourir a cauze du coup de feu et la police ne pouvait plus l'utiliser comme témoin. Et c'était de ma faute. Si il devait mourir la police m'acuserait de l'avoir tué. Pas 1 meurtre mais quelque chose a propos d'un axident et d'un hommicide.

J'ai repensé a Snocone dans la sale de bain au centre comercial qui se demandait qui nous avait balancé. Jello. C'était encore dificile a croire. Maman ma dit qu'ils ne pouraient pas me metre en prison parce que j'étais beaucoud trop stupide. Elle a pas dit ça mais c'est ce que ça voulait dire.

Tu le conais elle a dit a l'avocad. Il ne savait pas ce qu'il fesait!

L'avocad a hoché de la tète et il a dit que la police pensait autrement. J'irais en prison a moin que je puisse identifier quelqu'un qui savait a propos des armes. Et selon eus j'avais participé au deal de flingues – je ne pouvais pas seulement en avoir entendu parler.

Ils ont dit qu'ils voulaient que je regarde 1 groupe de gars. Est ce que je voulais faire sa? Bien sur j'ai dis. Alord 1 policière ma emené avec l'avocad dans 1 pièce sombre avec un mur en vitre. 5 gars sont entrés dans l'autre pièce et se sont alignés au mur.

C'est 1 vitre a un sens a dit la policière. Tu peus les voir mais pas eus. Ai pas peur.

Pourquoi je devrais avoir peur ? j'ai dis.

Il y avait des numéros sur le mur. 1 2 3 4 5. Les gars se tenaient en dessou des numéros. La policière a apuyé sur 1 bouton et leur a parlé. Numéro 1 avance vers l'avan elle a dit. Tourne toi vers la gauche. Tourne toi vers la droite. Recule. Ensuite numéro 2 et numéro 3 et numéro 4 et numéro 5. Et ils ont reculé a leur plasse aprè.

La policière ma demandé si je conaisais ces gars. Ouai j'ai dis. Sauf le numéro 4.

Identifie les.

Vous voulez dire qui ils sont ?

Oui. Est ce qu'ils sont dans les Possy de la rue 15.

Oui j'ai dis. Sauf le numéro 4.

Alord les numéros 1 2 3 et 5 apartienent aux Possy ?

Oui.

Et c'est quoi leurs noms.

J'ai répondu. Snocone était la et Cobra et Xray et Bonesaw. Elle a noté les noms. C'était bizare mais bien de revoir les gars. Cobra était toujour aussi grand. Le deuxième plus grand c'était Bonesaw et il arivait seulement a l'épaule de Cobra.

La policière a dit au numéro 4 qu'il pouvait partir. Il restait que les gars que je conaisais. Elle ma demandé si je conaisais leurs vrais noms et j'ai fais non de la tète et elle ma dit de dire non pour que le magnétophone puisse m'enregistrer.

Non j'ai dis. Et ensuite j'ai dis attendez. Le vrai nom de Snocone c'est Artur j'ai dis.

On est retournés dans la pièce et on a atendus et Sergen Nikki est entrée avec l'air fatigué. Son patron était en colerre. Le centre comercial Sure Way était par tout dans les actualités. Ils apelaient ça 1 zone de guère et blamaient la police pour avoir laisser faire ça. C'était déja très grave mais le pire dans tout ça c'est que la police avait pu metre persone en prison pour ce qui s'était passé. Pas avan long temps en tout cas. Ils avaient trouvés des armes et des sacs de poudre blanche mais pas de preuve d'1 deal.

On n'a mème pas trouvés l'argent elle a dit.

Ma mère hochait la tète. Une zone de guère elle a chuchoté. O Bunny!

On a besoin de quelqu'un pour dire que Jeffers et Mcray dealaient des armes a dit Nikki. On ne peut pas les laisser s'en tirer avec des petites charges. On veut les foutre en prison pour plusieurs annés et pour que ça arive il nous faut 1 témoin – quelqu'un qui les a vu. Tu vois ce que je veus dire?

J'ai hoché de la tète.

C'est qui Jeffers et Mcray? j'ai demandé.

Tu les conais sous le nom de Cobra et Bonesaw.

O j'ai dis.

Tu conais quelqu'un qui s'apele Cobra? ma dit maman.

Ouai. Il est cool.

Maman a mit sa main devans sa bouche.

T'es nouvau dans les Possy a dit sergen Nikki. Et t'es pas comme les autres. On veut pas t'envoyer en prison – c'est les autres qu'on veut. Tu les as reconu dans la pièce Bunny. Maintenent on a besoin que tu nous dises ce que tu les a vu faire. Et c'est mieu d'ètre plus préci que ce que t'as écris ici.

Elle agitait les feuiles jaunes en l'air. Ce que j'avais écris était pas bon. C'est drole après toutes ces heures d'écriture et ma main engourdie et tout. La police pouvait pas utiliser ce que j'avais écris parce que j'avais vu personne acheter des flingues ou en vendre. Ou de la drogue. Jaden m'avait dit qu'il y avait des flingues dans les boites mais je les ai jamais vu de mes propres yeus.

C'est domage Bunny a dit la sergen. On avait de l'espoir pour toi.

L'avocad est intervenu a ce momant la et a dit que j'avais esayer. Il a parlé de bone foie. Nikki a répondu quelque chose d'autre. Quelque chose qui manquait. Ou peut ètre que j'avais oublié d'écrir dans mon raport. Maman regardait de gauche a droite.

Vous savez quoi? J'étais pas faché a cauze du raport. J'étais mème plutot contant. J'avais pas envi que les Possy se retrouvent en prison a cauze de moi. Les flingues c'était mauvais mais est ce que les Possy était mauvais? Je ne le pensais pas. Je les aimais bien. Ils étaient de mon coté. Ce qui en fesait des bons gars. Peut ètre pas Jello. Lui c'était 1 rat. Peut ètre qu'il était mauvais.

Mon patron veut te metre en prison a dit Nikki. Mais il y a peut ètre 1 fasson pour que ça arive pas si tu peus dire plus de choses a propos de Jaden.

C'est qui Jaden? ma demandé ma mère.

Mon ami je lui ais dis. Je t'ai parlé de Jaden.

C'est le membre d'1 bande a dit sergen Nikki. Ma mère s'est levé et a marché en secouant la tète. Sergen s'est assis sur la table a coté de moi avec les jambes qui pendaient dans le vide. Ami tu dis? Elle a tapé sur la pile de feuiles jaunes.

Tu as parlé de cet entrepot près de Lake Shore elle a dit. Vous avez pris les armes et vous les avez mis dans la bagnolle. Jaden conaisait le chemin pour y aller et il avait 1 clé et tu es allé avec lui. Alord tu pourais ètre 1 témoin pour ça. Le seul problème c'est qu'on sait pas grand chose a propos de Jaden. On sait pas a quoi il ressemble ni ou il habite. On sait pas ou est ce qu'il peut bien se cacher en ce momant. Il a disparu.

Hein j'ai dis.

Est ce que tu pourais t'assoir avec 1 artiste de la police et lui décrire Jaden pour qu'il en fasse 1 portrait?

Je suis plutot stupide j'ai dis.

Est ce que tu sais ou se trouve Jaden?

Non.

Si tu nous disais ou il est en ce momant ça nous aiderait. Mon patron aimerait ça. Est ce que tu comprends Bunny?

Elle s'est penchée près de moi. Ses yeus près des miens. Elle froncait les sourcis. Sa cinture retenait ses pantallons d'uniforme.

Est ce que tu pourais nous dire quelque chose a propos de Jaden qui nous aiderait a le localizer.

Je savais quelque chose c'est sur. Mais je ne pouvais pas le dire.

Euh j'ai dis.

C'est domage Bunny elle a dit. Vraimant domage.

L'avocad et sergen Nikki se parlaient. Maman a demandé coment je me sentais. Je lui ais dis que mes oreiles se sentaient mieu mais qu'elles me fesaient mals. Ton bras? elle ma demandé et j'ai dis non ma main de trop écrir. Mon bras était cool.

C'est la faute de ce tatou a dit ma mère. Ton putin de grand-père et son putin de testamant. Tu étais 1 petit gars gentil et inocent la semaine dernierre. Et maintenent regarde toi. C'est 1 cauchemar. Tu es 1 criminel. Ton père et moi on est vraimant en colerre!

Elle s'est tenu debout pendans 1 temps et s'est tournée ensuite.

Je lui ais demandé coment elle savait des choses. Je pensais a Jaden.

Qu'est ce que tu veus dire Bunny?

C'est pas ce que tu ensaigne a l'école maman? Tu ensaigne coment il faut aprendre.

C'est ce que Spencer ma dit. Je suis stupide mais est ce que tu peus m'xpliquer? A propos du savoir? Parce que je sais des trucs mais je sais pas pourquoi je les conais. Je fais juste les conaitre.

Maman ma regardé comme si elle m'avait jamai vu avan. Comme si j'étais 1 étrangé.

L'avocad est revenu me voir avec son visage en berne. Il a parlé a maman pendans 1 momant et elle a comencé a pleurer. Je pouvais retourner a la maison et prendre des trucs mais je devais retourner au comissariat de police pour la nuit. C'est comme 1 nuit chez un copin j'ai dis. Maman a pleuré encore plus.

L'avocad ma ramené a la maison. Il devait s'ocuper de moi. On a marchés le long du coulloir du comissariat de police cote a cote. J'avais mes feuiles jaunes dans les mains puisque la police pouvait pas les utiliser. Je les ai plier et les ai plasser dans ma poche. L'avocad ma demandé coment je pensais que mon grand-père se sentirait maintenent. Votre grand-père était si fier de vous tous il a dit. Il voulait telment de bien pour vous.

Il voulait qu'on vivent tous des aventures xcitantes et qu'on aprenent de belles choses a propos de nous mèmes.

Est ce qu'il serait contant de toi aujourdui Bernard? il ma demandé.

Je pense que oui.

Coment tu peus dire ça Bernard. Tu es dans les mains de la police. Un agent risque de mourrir.

Des mauvaises choses arivent j'ai dis. Grand-père le savait. Il a largué des bombes.

L'avocad a fermé sa gueule.

On est sortis par la porte d'en arrierre. C'est la que l'avocad avait sa bagnolle. C'était la nuit et les lumières de la ville étaient alumées. L'air avait 1 bone odeur après toutes ces heures passées a l'intérieur. Devinez qui est sorti d'une bagnolle de police.

Pouvez vous deviner?

On s'est regardés. Ses lèvres bougaient mais il n'y avait aucun son qui sortait. Aide moi elle disait. Je pouvais conter les secondes 1 2 3 4 5.

1. Je pensais au sergen Nikki qui se demandait ou se trouvait Jaden. La police savait pas ou était Jaden. Ils ne savaient pas non plus qui sortait de cette bagnolle.

2. Je pensais aux lettres de grand-père. Le tatou voulait dire que j'avais des gens avec moi. Il voulait que je sache que j'avais des amis.

3. J'ai pensé a cette première foie ou Jaden ma sourri. Et toutes les foies aprè.

4. Je pensais a cette foie ou je l'ai embrasé et ou je me suis rendu conte qu'il était 1 fille tout comme Mary Lee. Je le savais maintenent comme je savais que l'eau était humide. Je le savais c'est tout.

5. Je pensais a dire au secour.

C'est tout le temps que j'ai eu pour penser. La seule chose que je savais c'était que je voyais Jaden courrir près de moi dans le terrin du parking et dans la rue et un policier la pourchassait. Il est pas allé très loin parce que j'ai tendu mon pied et il a trébuché. Il ma attrapé et on est tombés. Oublie ça tomber comme 1 bale – le policier était sur moi. Je suis tombé comme 1 brique et je me suis frapé la tète. J'ai vu des étoiles.

C'ÉTAIT IL Y A LONG TEMPS

COMME DES MOIS ET DES MOIS. Ma tète allait mieu. Jello était pas mort des coups de feus mais il était tombé malade et il est mort a l'hopital et je suis allé en prison. J'y suis encore. C'est pas si mal. Il y a un jym et 1 sale de télé et une caféteria. La boufe ça va. La cloture électrifié est aute mais je peus voir la rue a travert et les maisons et les gens qui passent devans. Les 3 gars dans ma chambre étaient OK après la premierre nuit. Ils ont vu mon tatou et Benji a dit putin de merde. Le lendemain il ma aporté 2 déjeuners. Et le jour aprè aussi. J'ai été obligé de lui dire ça sufit. Maman ne pleure plus en me rendant visite. L'été est passé et aussi l'autone. Je suis a l'école – neuvième anné. Je corige mon raport de police pour en faire 1 projet d'écriture. Mon prof en a vu 1 partie déja. Il a dit O.

Jaden est venue me visiter le premier dimanche après que je sois entré en prison. Elle portait 1 robe verte et elle avait ses cheveus tirés vers l'arrierre et elle était plutot mignone. Elle était 1 fille tout le temps au cas ou la police était en train de chercher Jaden le gars. Elle ma dit que je pouvais l'apeler Jade. La sale de visite était peuplée de mamans et était plutot triste. Mais j'étais pas triste et Jade non plus.

Elle ma racontée coment elle a réussi a baiser la police qui cherchait le gars qui s'apelait Jaden. Elle a prétendu ètre telment traumatizé a cauze des coups des fuzilades qu'elle pouvait pas dire son nom. Elle ne voulait pas qu'ils la ramènent chez elle et qu'ils découvrent qu'elle était la sœur de Cobra. Ils l'ont emenée dans 1 hopital de fous et ils ont été gentis avec elle pendans plusieurs heures. Et comme elle ne voulait rien dire ils l'ont ramené au comissariat de police comme si elle était 1 personne disparue – ça c'est quant elle ma vu et qu'elle a couru.

Wow j'ai dis. Et coment t'as su que j'allais t'aider?

Elle savait pas elle a dit. J'espérais.

Quant je lui ais dis ou était l'argent elle a ouvert sa bouche et elle a dit t'es sur? J'ai dis non. Quant j'étais caché dans le magasin BIENTO OUVERT j'avais entendu les Angels parler de Butch et de l'argent. Quant j'avais balancé Butch en bas de l'escalié roulan il n'avait pas de sac a dos mais la femme sans tète au tour du feu de camp oui.

Alord tu penses que Butch a caché l'argent dans le magasin de sports pour que les flics le trouvent pas sur lui?

Peut ètre j'ai dis.

Et il peut pas le retrouver maintenent. Je me demande si il l'a dit a quelqu'un avan de se faire tirer dessu. Ah! T'es vraimant 1 géni Bunny!

Non. Mais j'ai toujour été bon pour trouver des trucs j'ai dis.

Jade ma doné 1 calin en sortant et Greg a dit *woo hoo*. Greg est cool comme gardien. La foie suivante qu'elle est venue elle ma dit qu'elle atendrait dans le magasin de sports que persone regarde et qu'elle aracherait le sac a dos du dos de la mère sans tète. Jade vient me voir souvant – la plupar de temps les dimanches mème si il faut qu'elle prenne le train. On marchent ensembles a l'xtérieur quand il fait beau.

On a parlés de Jello 1 foie. Elle ne comprenait pas pourquoi il était devenu 1 rat. Il avait déja été en prison il avait dit. Peut ètre que les flics avaient quelque chose a lui demander. Mais elle s'en foutait. Un rat est 1 rat elle disait.

La dernierre foie qu'elle est venue c'était bizare parce que maman et papa et Spencer étaient la aussi. Ils sont entrés dans la sale de visite et on se tenaient la main genre. Maman s'est arètée dans le cadre de la porte et les 2 autres lui sont rentrés dedans.

Quant Jade est partie maman était super polie genre je suis telment contante de te rencontrer. Papa a pointé son doit vers elle en disan je te vois bientot. J'ai eu l'impression que Spencer ne pourait jamai fermé sa gueule telment elle était ouverte.

Mon Petit Bun il a dit.

Ouai je sai.

Scratch est venu me voir dimanche dernier. Je le conaisais pas avan qu'il me dise son nom. C'est

1 petit dur avec des souliers pointus et 1 manteau. Il voulait voir mon tatou. Après il a dit oui de la tète et il a dit… C'est ce que je pensais.

Quoi?

C'est le mien il a dit. C'est mon tatou.

Mon grand-père…

C'était 1 erreur il a dit.

Il a enlevé son manto et a ouvert sa chemise. A l'arrierre de son épaule il avait 1 tatou qui montrait 1 mouche qui fumait 1 cigare. En dessou de la bestiole il y avait quelque chose qui était écrit – Ensembles nous volons. Le moto de grand-père quant il était a la guère.

J'était juste après toi au Réservoir d'Enkre a dit Scratch. J'ai pas vu le tatou avan qu'il soit apliqué. J'ai faili tué ce nain. Elle a dit que c'était la faute de Billy… que c'était lui qui avait acheté l'endroit dans l'urgence et qu'il s'était trompé dans les comandes. Et elle ma dit que tu savais rien de plus qu'elle sauf que t'avais pas eu le bon tatou.

Alord Scratch avait mon tatou et moi j'avais le sien.

Je me suis abitué a lui maintenent a dit Scratch. Je me regarde pas souvant le dos mais quant ça m'arive je trouve ça plutot cool.

Il a pointé mon bras. Ça ça veut dire que tu apartiens aux Possy de la rue 15 et que tu as tué quelqu'un il ma dit.

Je sais j'ai répondu. Je suis 1 mensonge.

Vraimant? il ma demandé. T'as jamai tué un enemi des 15? Jackson était 1 rat et t'as aidé les Possy a s'en débarasser.

J'ai dis que je l'avais pas vraimant fais.

T'étais la quant ça c'est passé. T'es en tole pour ça. Cobra et Xray et Morgan sont dehors maintenent mais toi t'es toujour ici derrierre 1 cloture. Je pense que t'as gagné ton tatou Bunny.

C'était bizare la fasson qu'il en parlait. Ça fesait presque du sense.

Greg s'est pointé et a demandé a Scratch de relever sa chemise. Ça t'emerde? il a dit et Scratch a dit non pas du tout. J'ai mangé 1 biscuit. La cafétéria nous en done le dimanche. J'ai pensé aux trucs qui s'était passé a cauze de mon tatou. Les gars que j'avais rencontré. Les choses que j'avais fais. Les choses que je fesais et que j'allais faire. J'ai encore pensé a grand-père. Avec son chapau et ses blagues et son bras sur mon épaule qui me disait ne sois jamai désolé pour toi mème.

Je ne l'étais pas. Mème si tout avait foiré j'étais pas désolé pour moi.

Scratch ma demandé quant j'allais sortir. Quelque part en juin je lui ais dis. La sentense était de 1 an moin 1 jour. Ma mère l'avait écrit.

Il ma dit qu'ils s'enuyaient de moi au jym. Morgan et les autres. Jade est pas venu souvant il a dit. L'argent dans le sac a dos a payé le loyer pour 1 an et il en restait pour que Cobra se trouve 1 nouvel endroit. Tu savais pour elle? il ma demandé.

Pour elle?...

Jaden est devenu 1 fille.

Il a hoché la tète.

Cobra et sa grand-mère étaient les seules qui savaient il ma dit. Et toi.

J'avais pas envie de regarder la télé ou de lever des pois. Quant Scratch est parti j'ai pris mon manteau et j'ai marché le long de la cloture. J'ai pensé a grand-père qui tenait son épée et qui me disait que je saurais reconaitre les bons des mauvais gars quant le temps viendrait. Benji est sortit et a marché avec moi. Il avait quelques biscuits et m'en a doné 1. On a parlé de hockey. Il aimait les Leefs de Tronto. C'était son équipe. Ils vont gagné ce soir il ma dit.

Coment tu le sais?

Je le sais pas il ma dit. Mais j'espère…

REMERCIEMENTS

Ce livre n'existerait pas sans l'idée géniale d'Eric Walters. Et son scénario n'aurait jamais vu le jour sans les six autres auteurs de la série. Un merci tout spécial à mon frère dans cette série, Ted Staunton. Le contenu et son « ortografe » particulière, je les dois à mes enfants et à mes élèves de ma classe de maîtrise en beaux arts de l'université Guelph Humber. Merci à vous. John Cusick et Scott Treimel ont fait leur boulot habituel d'agents étincellants. Et je veux surtout souligner le travail incomparable, généreux, gracieux et – surtout – flexible de l'éditrice de cette série, Sarah Harvey. Désolé pour les cheveux gris!